Das Geheimnis im 13. Stock

Sid Fleischman, geboren in New York, aufgewachsen in Kalifornien, war Zauberer, Seemann und Journalist, bevor er mit dem Schreiben von Romanen und Drehbüchern begann. Viele seiner Jugendbücher wurden verfilmt. Heute lebt der Autor in Santa Monica.

Sid Fleischman

Das Geheimnis im 13. Stock

Aus dem Englischen von
Andreas Steinhöfel

Mit Vignetten von Peter Sis

Veröffentlicht im Carlsen Verlag
2 3 4 09 08 07

Originalverlag: Greenwillow Books, New York
Originaltitel: »The 13th Floor – a Ghost Story«
Dieses Werk wurde vermittelt durch die Literarische
Agentur Thomas Schlück GmbH, 30827 Garbsen

Umschlagbild: Michael Bayer
Umschlaggestaltung: formlabor
Corporate Design Taschenbuch: Dörte Dosse
Druck und Bindung: GGP Media GmbH, Pößneck
ISBN 978-3-551-35484-6
Printed in Germany

Alle Bücher im Internet: www.carlsen.de

Inhalt

1. Kapitel

Stimmen

Das Telefon blinkte und begann zu klingeln. Ich sah mir gerade einen alten Tarzan-Streifen im Fernsehen an, bereitete mich auf eine Klassenarbeit in Spanisch vor und hütete das Kind der Nachbarn. Ich hätte auch noch gleichzeitig Kaugummi kauen können, aber für solche Nettigkeiten fehlte mir das Geld.

»Das Telefon klingelt, Buddy«, sagte Hayley, die auf der Treppe saß und Bilder von Pferden mit langen, gelben Mähnen zeichnete. Sie war das Nachbarskind und sie hatte lange, gelbe Haare.

Manchmal ging ich selbst ans Telefon, aber manchmal überließ ich, so wie jetzt, die Arbeit lieber dem Anrufbeantworter. Seit neuestem war nämlich ein Mädchen aus der Schule hinter mir her, Garbo. Konnte es sein, dass sie das war? Ich mochte sie ganz gern, aber sie fuhr leider auf Gewichtheben ab. Und ich war nicht scharf darauf, eine Freundin zu haben, die größere Bizepse und breitere Schultern hatte als ich.

Das Telefon klingelte schon wieder, als der Herr der Affen gerade seinen Dschungelschrei ausstieß. Ich grapschte den Hörer von der Gabel, damit das Gerappel aufhörte.

»*¿Hola?*«, sagte ich, um mein Spanisch zu testen.

»Gehst du überhaupt irgendwann ans Telefon, Buddy?« Es war meine große Schwester Liz. »Ich wusste doch, dass du zu Hause bist.«

»Ich dachte, es wäre jemand, der hinter mir her ist.«

»Das nette Mädchen mit der Sonnenbrille? Die aus deiner Theatergruppe?«

»Und aus meinem Spanischkurs. Sie hat mich praktisch umzingelt.«

Liz war ungefähr tausend Jahre älter als ich. Sie war dreiundzwanzig und hatte gerade ihr Jurastudium beendet. Sie wollte sich auf Rechtsbeihilfe für Sozialfälle spezialisieren und ihr erster Fall hatte sie schon irgendwie berühmt gemacht. Ein harmloser alter Mann aus Chula Vista war von seiner Nachbarin beschuldigt worden, den bösen Blick zu haben und damit regelmäßig ihre Blumen zum Verwelken zu bringen, wenn er in ihren Garten sah. Liz hatte bei der Verteidigung den Umkehrschluss erbracht, dass es *nicht gegen das Gesetz sei*, Blumen durch bloßes Angucken zum Verwelken zu bringen. Sie gewann den Prozess und war an diesem Abend in jeder Nachrichtensendung des Landes zu sehen.

Der Haken an ihrer Blitzkarriere bei der Rechtshilfeberatung war, dass Liz nicht einmal genug Geld für die Parkuhr verdiente. Seit wir zu Waisen geworden waren, brauchten wir jede Menge Geld. Wir waren nicht etwa pleite. Es war viel schlimmer. Wir hatten tonnenweise Schulden.

Liz sagte: »Vielleicht gehst du ja nicht ans Telefon, weil jemand dran sein könnte, der das Haus kaufen will.«

»Vielleicht«, murmelte ich.

»Buddy, du weißt, dass wir das Geld dringend brauchen. Wir müssen das Haus verkaufen.«

»Aber wir sind hier groß geworden. Mein Zimmer ist mein Zimmer. Es ist unsere Heimat.«

»Tut mir Leid, Buddy«, antwortete sie. Die Sache musste ihr mindestens ebenso wehtun wie mir, dachte ich. Sie ließ es sich bloß nicht anmerken.

Das große alte Haus mit der Stuckfassade befand sich seit Urzeiten im Familienbesitz der Stebbins. Es musste um 1910 herum gewesen sein, als mein Urgroßvater aus Massachusetts gekommen war und seine Anwaltskanzlei in der India Street eröffnet hatte. Dann hatte er dieses Haus auf einem Hügel über der Altstadt gebaut. Er musste den erhabenen Ausblick auf die Schiffe, die in der Bucht von San Diego einliefen und ablegten, genauso geliebt haben, wie ich ihn liebte.

Außerdem hielt er nachts Geisterbeschwörungen im Garten ab, zwischen Orangenblüten und Pfefferbäumen. Liz hatte mir erklärt, dass man so etwas Séancen nannte. Durch eine alte kupferne Schiffsflüstertüte, die er sich vor den Mund hielt, hatte er den Verstorbenen befohlen zu sprechen. Er hatte immer behauptet, manchmal würden sie tatsächlich antworten – einmal zum Beispiel durch die Tülle eines Teekessels in der Küche.

»Aber das Stebbins-Haus ist verhext«, sagte ich jetzt. »Wer will schon ein Haus bewohnen, in dem Geister in weißen Laken durch die Gegend rennen, wo Stimmen aus Teekesseln kommen und Ketten rasseln?«

»Das Haus ist nicht verhext«, schnappte Liz zurück. »Es gibt keine Geister, und wann, bitte schön, hast du jemals Kettengerassel gehört? Setz bloß keine verrückten Geschichten in die Welt, Bud.«

»Aber glaubst du nicht auch, dass unser Urgroßvater völlig durchgeknallt war?«

»Durchgeknallt ist weder ein medizinischer noch ein rechtlicher Fachausdruck«, sagte sie.

»Liz, wir stehen hier doch nicht vor Gericht. Glaubst du, dass er geistig unzurechnungsfähig war?«

»Ich glaube, dass ihm der Gedanke, mit Geistern reden zu können, einfach Spaß gemacht hat. Du weißt doch selber noch, wie viel Spaß es gemacht hat, an den Weihnachtsmann und den Osterhasen zu glauben.«

»Da war ich vier oder fünf Jahre alt.«

»Auch die vernünftigsten Leute können eine Macke haben«, räumte sie lachend ein.

»Ich frage mich ja nur, warum jemand unbedingt mit den Toten reden will. Da läuft es einem doch kalt den Rücken runter.«

»Willst du damit sagen, dass du es nicht weißt?«

»Was nicht weiß?«

»Er hat versucht mit irgendeinem uralten Vorfahren Kontakt aufzunehmen. Mit dem Geist eines Kapitäns.« Sie überlegte und schnappte dann mit den Fingern. »Crackstone – so hieß er. Genau, Käpt'n Crackstone.«

»Wer war das?«

»Ein todschicker Pirat.«

Ich muss kugelrunde Augen gemacht haben. Am Stammbaum unserer Familie baumelte tatsächlich ein Pirat? Ein waschechter, blutrünstiger Freibeuter? Das haute mich wirklich um. »Warum hat mir das nie jemand gesagt?«

Liz schien überrascht, dass ich diesen Teil der Familiengeschichte nicht kannte. »Na ja, dieser Käpt'n Crackstone ist nicht gerade das aktuellste Thema. Er hat vor beinahe dreihundert Jahren gelebt.«

»Hat er Leute auf die Planke geschickt und Schätze verbuddelt und so etwas?«

»Ich weiß nicht, ob er Leute über die Planke laufen ließ«, gab sie zurück. »Aber er *hat* einen Schatz vergraben. Den Namen Crackstone benutzte er nur, wenn er unter Piratenflagge segelte. Sein richtiger Name war Stebbins. Als ein Nachkomme aus erster Linie hat unser Urgroßvater gehofft den Käpt'n dazu bewegen zu können, das Versteck seiner Beute preiszugeben. Für einen Geist sind Reichtümer schließlich nutzlos.«

»Ist Käpt'n Crackstone jemals im Garten aufgetaucht?«, fragte ich.

»Nicht mal ansatzweise. Das Einzige was über Generationen von ihm erhalten geblieben ist, ist dieses alte zerdellte Schiffssprachrohr.«

»Vielleicht sollte ich das auch mal ausprobieren.«

Liz gab ein kleines Lachen von sich. »Richte dem Käpt'n aus, falls er irgendwo Geld verbuddelt hat, könnten wir es gut gebrauchen.« Dann sagte sie: »Ich weiß, eigentlich bin ich heute mit dem Abendessen dran. Aber würde es dir was ausmachen, dir selbst etwas zu kochen? Ich muss mich noch um meine Kontoführung kümmern.«

»Das kann ja dann die ganze Woche dauern«, sagte ich. Liz war schlau, außer wenn es um Zahlen ging.

»Bis später, Buddyschatz.«

Hayley hatte sich beim Malen ihrer wild herumgaloppierenden Pferdchen auf der Treppe so ruhig verhalten, dass ich sie ganz vergessen hatte.

»Zieht ihr aus, Buddy?«, fragte sie und sah auf.

»Wie kommst du darauf?«

»Bei euch im Garten steht ein Schild: Zu verkaufen. Ich kann nämlich lesen, Buddy.«

Ich nickte.

»Wo werdet ihr wohnen?«, murmelte sie.

»Wir denken an den Dschungel. Wir könnten oben in den Bäumen leben und uns an Lianen herumschwingen.«

»Wie in diesem blöden Film? Warum wäscht Tarzan sich eigentlich nie die Hände, bevor er isst? Die Zähne putzt er sich auch nicht.«

»Ich glaube, deine Mutter ist da.«

Auf Hayley aufzupassen war ein solches Kinderspiel, dass ich mich eigentlich nicht dafür bezahlen lassen wollte. Aber aus dem Haus verschwanden immer mehr Möbel und anderes Zeugs. Ich wusste, dass Liz wegen der Schulden langsam in Panik geriet. Sie hielt mich für zu jung, um mich um irgendetwas anderes als mein eigenes Zimmer kümmern zu können. Als Babysitter konnte ich wenigstens einen kleinen Teil zum Einkommen beitragen. Morgen würde ich am Ende der Straße Rasen mähen.

Vor der Tür schenkte Hayley mir einen scheuen Blick und sagte: »Ich möchte nicht, dass ihr auszieht, Buddy.«

»Ich komm ab und zu vorbei und besuch dich«, sagte ich.

Der Herr der Affen interessierte mich nicht mehr. Ich stürmte die Treppen hinauf und holte das Schiffssprachrohr aus dem Arbeitszimmer meines Vaters. Das Kupfer schimmerte noch an einigen Stellen, aber ansonsten war es verbeulter als die Stoßstange eines Gebrauchtwagens.

Ich drehte und wendete es, in der Hoffnung ein paar alte, darin zurückgebliebene Stimmen aus ihm herauszuschütteln. Dann holte ich tief Luft und setzte es an die Lippen.

»Kapitän Crackstone! Ahoi! Ich bin’s, Buddy Stebbins. Ich glaube, wir sind Blutsverwandte. Können Sie mich hören? Liz hat den Teekessel verkauft, versuchen Sie also nicht durch den zu sprechen. Was ist jetzt mit diesem Schatz – wo haben Sie ihn vergraben, Sir?«

2. Kapitel

Eine Nachricht von Abigail

Ich rannte durch das Haus und rief nach dem Geist des Piraten, bis ich unten in der Eingangshalle mein Abbild im Spiegel sah.

»Buddy!«, schmetterte ich durch das Sprachrohr. »Stebbins, du siehst aus wie ein Schwachkopf! Du bist geistig umnachtet! Du bist durchgeknallt! Du hast nicht mehr alle Tassen im Schrank! Glaubst du ernsthaft, irgendein dreihundert Jahre alter Geist würde dich hören?«

Ich brachte das Sprachrohr zurück ins Arbeitszimmer meines Vaters. Wenn es wirklich möglich wäre, mit den Toten zu sprechen, hätte ich nach meiner Mum und meinem Dad gerufen.

Sie waren beim Absturz eines kleinen Privatflugzeuges jenseits der Grenze, in Mexiko, ums Leben gekommen. Es dauerte Monate, bis Liz mir mitzuteilen wagte, dass unser Vater, ein Händler für frühmexikanische Kunstwerke, einen Haufen Schulden hinterlassen hatte.

»Wir müssen das Geld zurückzahlen«, sagte Liz.

»Sicher«, stimmte ich zu. »Natürlich. Ganz klar. Wie viel ist es?«

»Eine Menge.«
»Wie viel?«
»Mach dir keine Gedanken, Buddy.«
»Ich will mir aber Gedanken machen, Liz.«
»Mit dem Geld, das wir für das Haus bekommen werden, können wir alle Schulden begleichen.«
»Können wir nicht einfach weiter irgendwelches Zeugs verkaufen?«, fragte ich.
»Es sind nicht mehr viele Erbstücke übrig.« Sie lachte kläglich. »Vielleicht müssen wir demnächst deine Modellflugzeuge verkaufen.«

Das alte Porzellan und das Silberbesteck, das wir sowieso nie benutzt hatten, vermisste ich kaum. Aber natürlich blieb es mir nicht verborgen, als irgendwann der Esstisch und die Stühle verschwunden waren. Jetzt tat es mir ein bisschen Leid, dass es Liz gelungen war, den alten Teekessel zu verkaufen, für den Fall – nur für den Fall –, dass noch einmal ein Geist durch die Tülle zu sprechen versuchte. Noch einmal? Ah, wahrscheinlich war das sowieso nie wirklich geschehen, rief ich mir ins Gedächtnis.

Das Telefon klingelte schon wieder. Ich dachte, es wäre Liz, die mich daran erinnern wollte, die Rasensprenkler anzustellen. Aus der Wüste wurde heißer Maiwind ins Land getrieben, das er so trocken wie Sandpapier hinterließ. Ich drehte Tarzan den Ton ab und sagte: »Hier Buddy.« Es war die Stimme eines Mädchens. Ein neues Mitglied in der Theatergruppe der Schule.

»Wie kannst du es wagen, überall herumzuerzählen, ich wäre hinter dir her?«

Ich schluckte. So viel zu meinen verrückten Fantasien. »Hallo, Garbo«, sagte ich. Ich stellte mir vor, wie ihr die feuerroten Haare senkrecht vom Kopf abstanden, ungefähr so wie in *Frankensteins Braut,* den ich letzte Woche gesehen hatte.

»Ich hab es nicht überall herumerzählt«, protestierte ich.

»Und ich rufe dich auch nicht ständig an. Das ist das *erste Mal,* dass ich dich anrufe!«

»Wolltest du unseren Text für das Stück durchgehen?«, fragte ich kaltblütig. Ich konnte gut verstehen, dass man sie in die Theatergruppe aufgenommen hatte. Meine Wenigkeit hingegen war nur deshalb auserwählt worden, weil man einen Darsteller für Ichabod Crane in *Der kopflose Reiter* gesucht hatte. Ich war immerhin groß und schlaksig genug.

»Oder wir könnten gemeinsam für die Spanischarbeit lernen«, fügte ich hinzu. »Es ist sowieso besser, man lernt mit jemandem zusammen. Besonders für so einen Test.«

»Und Gewichte stemme ich *so gut wie nie*!«, rief Garbo und knallte den Hörer auf die Gabel.

Ich fühlte, wie ich rot anlief. Noch nie hatte jemand ein Gespräch mit mir abgebrochen. Es war überaus peinlich. Aber immerhin war sie jetzt auf mich aufmerksam geworden. Bis dahin hatte sie mich übersehen, so weit es irgend ging.

Ich stellte den Rasensprenkler an, bevor ich es wieder vergessen konnte. Dann goss ich die Rosen meiner Mutter. Ich warf einen Blick in die Bucht, um nachzusehen, ob dort etwas passierte. Ich zählte drei U-Boote, die wie kleine, nuckelnde Ferkel an einem grauen Versorgungsschiff der Navy hingen. Die großen Schiffe – der Flugzeugträger und die Kreuzer – waren draußen auf See.

Ich konnte es kaum fassen, als Garbo ein zweites Mal anrief. Mit meinen knapp dreizehn Jahren war ich wahrscheinlich nicht alt genug, um die Frauen zu verstehen. In einem so süßen Tonfall, dass er ihr Karies verursachen musste, fragte sie, ob ich ihr helfen könnte den Absatz auf Seite 162 des Spanischbuches zu übersetzen. Also zog ich meine neuen Tennisschuhe mit den grünen Schnürsenkeln an, die im Dunkeln leuchteten, und holte mein Fahrrad aus der Garage. Zwischen zischenden Rasensprenklern hindurch düste ich zu ihrem Haus. Eigentlich wollten wir ja für den Test lernen, aber ihre Gedanken schienen irgendwo anders zu sein, Millionen Kilometer entfernt. Lichtjahre entfernt, um genau zu sein.

»Was für ein Sternzeichen bist du?«, fragte sie.

»Weiß nicht. Saturn, glaube ich.«

»Saturn ist kein Sternzeichen.«

Sie fand heraus, dass ich Fische war, was sie nicht gerade in große Begeisterung versetzte. Dann holte sie die Zeitung und schlug die Seite mit den Horoskopen auf. Darin stand, Fische sollten sich heute vor einem Menschenauflauf in Acht nehmen.

»Was glaubst du, was damit gemeint ist?«, fragte sie und knabberte nervös an einem Fingernagel.

»Vielleicht, dass man besser Mencheneintopf essen soll.«

»Das ist nicht witzig«, sagte sie.

»Ich wollte nicht witzig sein«, murrte ich und klang plötzlich wie meine Schwester Liz. »Nur ansatzweise amüsant.«

Sie war leider nicht einmal ansatzweise amüsiert. Es war ganz klar, dass sie Astrologie so ernst nahm wie eine Blinddarmentzündung und dass es besser war, das Thema zu wechseln. Abgesehen von Horoskopen interessierte sie sich nur noch für Kosmetik. Das ließ uns nicht sonderlich viel Gesprächsstoff. Ich ertappte mich dabei, wie ich verstohlen auf die Digitalanzeige meiner Armbanduhr blickte.

»Trägst du deine Sonnenbrille auch nachts?«, fragte ich.

»Natürlich. Ich will Filmstar werden.«

Bis ich zu Hause ankam, war meine Begeisterung für Garbo Vergangenheit. Im Eingang stand Liz, pudelnass. In ihrer langen grünen Hose sah sie aus wie ein Frosch, der sich zum Sprung bereitmachte. Zum Sprung auf mich.

»Hat es geregnet?«, fragte ich verblüfft.

»Ja, vor zwei Monaten«, antwortete Liz. »Du hast lediglich vergessen die Rasensprenkler abzustellen. Ich musste mich lediglich durch den Regenwald kämpfen, um bis zur Haustür zu kommen. Ich könnte dich lediglich einfach umbringen!«

»Keuch!«, sagte ich. »Tut mir Leid, Liz.«

Ein Lächeln huschte über ihr Gesicht. »Jedenfalls ist es heute das erste Mal, dass ich mich einigermaßen erfrischt fühle.«

Sie schlüpfte aus ihren Schuhen und rieb sich mit einem Badetuch die Haare trocken. Zuerst fiel keinem von uns beiden auf, dass das rote Lämpchen des Anrufbeantworters blinkte. Als Liz es bemerkte, ging sie zum Tisch und drückte auf die Wiedergabetaste.

»Hergehört!«, rief eine Frauenstimme mit deutlich englischem Akzent. »Sind Sie das, Miss Stebbins? Sind Sie das, die das Recht rauf und runter kennt und die weiß, wie man es auslegt? Mal hergehört! Ich stecke in Schwierigkeiten. Helfen Sie mir! Eilen Sie, Miss, kommen Sie zum Zachary Building. In den dreizehnten Stock! Ich bin Abigail Parsons, jawohl, Ihre Verwandte höchstpersönlich! Sie erkennen mich an meinem besten türkischen Schal und meinem gestärkten weißen Häubchen. Lassen Sie mich nicht im Stich!« Ende der Nachricht.

»Das Zachary Building«, murmelte ich. »Da hatte unser Urgroßvater seine Kanzlei.«

»Ziemlich clever«, sagte Liz, die den Anrufbeantworter skeptisch beäugte. Sie witterte Betrug und schoss einen ihrer besten eiskalten Anwaltskreuzverhörblicke auf mich ab.

»Gestehe, Buddy. Gestärktes weißes Häubchen! Soll das ein Witz sein? Von wem – wessen – englischer Sprachversuch war das? Hat eine deiner neuen Flammen diesen Akzent imitiert? Garbo?«

Ich warf die Hände in die Luft, als wollte ich einen Eid ablegen. »Ich gestehe, Liz! Ich gestehe, dass ich nichts damit zu tun habe. Ich weiß nicht mal, was ein türkischer Schal ist. Außerdem beherrscht Garbo keine Akzente. Sie beherrscht nur die Kunst der Wimperntuscherei.«

»In diesem Fall –«

»Genau, in diesem Fall scheint es so, Liz, als ob eine unserer Verwandten dich anheuern will. Abigail Irgendwas. Ich wusste gar nicht, dass wir noch lebende Verwandte haben.«

»Haben wir auch nicht«, antwortete Liz. »Und sie ist auch keine Verwandte. Jemand will mich reinlegen, Buddy. Aber wer und warum? Darin liegt das Mysterium.«

Mysterium? Solche Worte benutzte sie erst, seit sie Jura studiert hatte.

»Woher willst du wissen, dass dich jemand reinlegen will?«

Liz ging über den Einwand hinweg, als sei ja wohl alles sonnenklar.

»Jemand will mir einen ziemlich billigen Streich spielen. Und ich werde in dem Moment darauf hereinfallen, in dem ich das Zachary Building betrete.«

»Was für einen billigen Streich?«

»Das Mädchen hat doch gesagt, sie würde im dreizehnten Stock auf mich warten, oder?«

»Exakto.«

»Buddy, Bürohochhäuser *haben* keinen dreizehnten Stock. Eine Menge Leute sind viel zu abergläubisch, um Räume zu mieten, die in einem Stockwerk mit einer Unglückszahl liegen.«

Ich holte Luft, nickte und lächelte. »Stimmt. Es gibt sogar ein Wort dafür.«

»Triskaidekaphobie«, sagte Liz, als sei das ein Wort, das sie alle zwanzig Minuten benutzte. »Das bedeutet Angst vor der Zahl Dreizehn. Viele Städte lassen die Zahl einfach weg, wenn sie Straßen durchnummerieren, und geben der entsprechenden Straße einfach einen anderen Namen. Was lediglich beweist, dass der Aberglaube unsere Welt immer noch fest im Griff hat, Buddy. Ich bin sicher, dass der Fahrstuhl im Zachary Building vom zwölften direkt in den vierzehnten Stock fährt.«

»Wenn du dort aufkreuzt, um Abigail zu suchen, wird man dich also auslachen.«

»Was das angeht, kommt wahrscheinlich nur ein dünnes Grinsen dabei heraus«, gab sie zurück.

»Vielleicht war es einer von deinen abgedrehten Liebhabern.«

»Ich habe keine abgedrehten Liebhaber.«

»Und was ist mit dem Typen, der behauptet hat, er wäre für genau sechs Stunden und achtzehn Minuten von einem UFO entführt worden? Harvey?«

»Ehemaliger Liebhaber«, sagte Liz. »Erinnere mich bloß nicht an den.« Dann wischte sie die telefonische Botschaft mit einer Handbewegung beiseite. »Und vergessen wir Abigail.«

3. Kapitel

Das dreizehnte Stockwerk

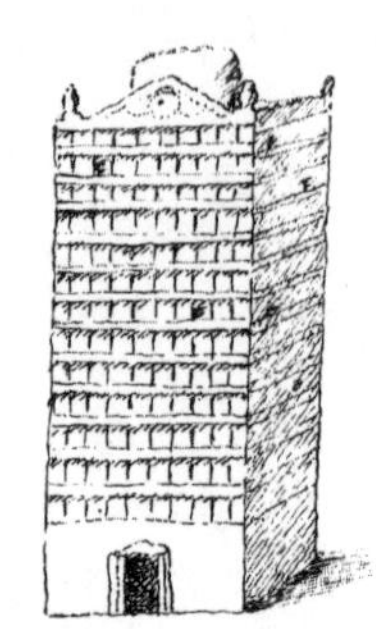

Liz ging am nächsten Morgen ins Büro und kam nicht zurück.

Nach der Schule mähte ich den Rasen bei den Nachbarn, spielte ein wenig Basketball und machte mich an meine Hausaufgaben. Es war nicht ungewöhnlich, dass Liz nicht zum Abendessen nach Hause kam, doch normalerweise rief sie mich dann vorher an.

Es fiel mir nicht leicht, mich auf mein Spanisch zu konzentrieren. Morgen stand die letzte Klassenarbeit ins Haus. Beim letzten Test hatte ich nicht besonders gut abgeschnitten, diese Schlappe musste ich jetzt ausgleichen.

Schließlich stellte ich das Radio an und taute Spaghettisauce aus der Tiefkühlbox auf, die meine Mutter vor fast einem Jahr eingefroren hatte. Die Nachrichten meldeten, dass es auf der Küstenstraße zu einem gigantischen Verkehrsstau gekommen war. Ein LKW-Fahrer behauptete, gesehen zu haben, dass auf einem kilometerhohen Filmplakat waschechte Tränen aus dem linken Auge Elvis Presleys tropften. Von nah und fern waren Menschen zusammengekommen, um Zeugen des vermeintlichen Wunders zu werden. Ich überlegte, ob Liz vielleicht in diesem Tohuwabohu stecken geblieben war. Ich kochte Nudeln ab und aß allein zu Abend.

Als Liz um halb elf immer noch nicht aufgetaucht war, rief ich reihum alle Krankenhäuser an. Gute Neuigkeiten! Sie hatten nie von ihr gehört. Aber wo steckte sie? Sollte ich die Polizei verständigen? Eine Vermisstenmeldung aufgeben?

Ich wartete eine weitere halbe Stunde, dann rief ich die Polizei an.

»Was hat sie angehabt?«, fragte die Beamtin am Telefon.

»Keine Ahnung. Ich war in der Schule, als sie aus dem Haus ging.«

»Wie groß ist sie?«

Das wusste ich nicht genau. »Ziemlich groß für eine Frau«, sagte ich.

»Gewicht?«

»Durchschnittlich, schätze ich.«

Es war mir peinlich, dass ich keine bessere Beschreibung meiner eigenen Schwester abgeben konnte. Obwohl ich Liz jeden Tag sah, wurde mir erst jetzt bewusst, wie selten ich sie wirklich genau anschaute. Schließlich war sie bloß meine Schwester. Bloß meine Schwester? Sie war der einzige lebende Mensch, der wirklich wusste, dass ich ebenfalls lebte.

Die Polizeibeamtin sagte, Liz würde wahrscheinlich jeden Moment zur Tür hereinspazieren. »Es ist ganz normal, dass du dir Gedanken machst, Jungchen, aber lass deine Fantasie nicht mit dir durchgehen. Gibt es jemanden, der sich um dich kümmert?«

Meine Gedanken machten einen Sprung nach vorn, schrecklichen Konsequenzen entgegen, und ich hörte mich die Wahrheit verbiegen. »Jede Menge Verwandte, Madam. Machen Sie sich meinetwegen keine Sorgen.«

»Gut. Ruf mich morgen wieder an, Jungchen.«

Alle unsere Verwandten hatten in einem alten Familienstammbuch, das im oberen Stockwerk in der Büchervitrine aufbewahrt wurde, ihre letzte Ruhestatt gefunden. Bis auf Liz und mich war niemand mehr übrig. Ich hätte gern Cousins gehabt, Onkel und Tanten, die man besuchen konnte. Liz und ich waren allein. Was war, wenn ich auch sie verlor? Erst jetzt wurde mir richtig klar, was für ein Risiko ich eingegangen war, als ich die Polizei angerufen hatte.

Ich wusste zwar, dass ich im Stande war auf mich selbst aufzupassen, doch für die Polizei war ich ein *Jungchen,* nicht mal dreizehn Jahre alt. Ohne Liz würde man mich in ein Waisenhaus oder so was stecken. Ohne sie würde ich untergehen. Sie war mein Rettungsseil.

Von plötzlicher Panik ergriffen, wählte ich erneut die Nummer der Polizei um zu sagen, dass Liz aufgekreuzt war, und nochmals vielen Dank. Doch bevor der Anruf durchgestellt war, legte ich wieder auf. Vollidiot! Da machst du dir um dich selber Sorgen, während Liz wirklich in

Schwierigkeiten stecken und auf die Polizei angewiesen sein könnte!

Es muss etwa eine Stunde vor Tagesanbruch gewesen sein, als ich aus dem Bett sprang. War Liz etwa losgezogen, um diese seltsame Frau mit dem englischen Akzent zu treffen? Abigail?

Ich rannte durch den Korridor in ihr Zimmer. Als ich keine Atemgeräusche vernahm, knipste ich das Licht an. Das Bett war unberührt. Liz war noch immer nicht zurück.

Das einzig Außergewöhnliche war ein großes Buch, das aufgeschlagen auf ihrem Schreibtisch lag. Es sah aus, als habe sie es durchgeblättert und dabei alle Geburten und Todesfälle der Familie bis zurück zu Adam und Eva verfolgt. Meine Mum hatte es immer das Totenbuch der Stebbins genannt. Jetzt bildeten sie selbst und Dad, eingetragen in der kühn geschwungenen Handschrift von Liz, die letzten Einträge.

Doch es war nicht die letzte Seite, die Liz studiert hatte. Sie hatte das Buch fast ganz am Anfang aufgeschlagen, wo die alte Tinte so bleich geworden war wie Teeflecken.

Von der Mitte der Seite sprang mir ein Name entgegen:

Abigail Parsons

geb. 1682, Northampton, Mass. Siebtes Kind der Mary Bliss und des John Parsons. Im Alter von zehn Jahren wegen Hexerei vor Gericht gestellt, 1692 in Boston –

Ich musste nicht weiterlesen. Ich war auf einmal todsicher, dass Liz zum Zachary Building gegangen war, um herauszufinden, was es mit der Stimme auf dem Anrufbeantworter auf sich hatte. Wenn nicht irgendwer einen Blick in das Totenbuch unserer Familie geworfen hatte, wie konnte er oder sie dann gewusst haben, dass wir eine Verwandte namens Abigail hatten?

Ich fand meine Turnschuhe, die mir aus dem Kleiderschrank entgegenleuchteten, und zog sie an. Dann warf ich mein Spanischbuch und ein paar andere Schulsachen in meinen Rucksack und kletterte auf mein Fahrrad.

Als ich in der India Street ankam, ging schon die Sonne auf. Die hohen, alten Fenster des Zachary Building leuchteten in flammendem Rot. Ich trug meinen Walkman mit eingebautem Radio, damit ich alle Nachrichtensender abhören konnte. Ich wollte mit der Welt in Kontakt bleiben, nur für den Fall, dass irgendwo eine Leiche gefunden worden war.

Die Türen waren noch abgeschlossen, also wartete ich darauf, dass jemand mit Schlüsseln aufkreuzte. Ich schätzte, dass dieses Gebäude zu den großartigsten in der ganzen Stadt gehört haben musste, als mein Urgroßvater seine Kanzlei noch darin gehabt hatte. Jetzt war es teilweise verbrettert, es sah völlig abgewrackt und heruntergekommen aus. Ich glaube, wenn es ein Pferd gewesen wäre, hätte man es erschossen.

Um mir die Zeit zu vertreiben, hörte ich Musik aus dem Walkman und betrachtete die Aufschriften auf den Fenstern. Da gab es einen Versicherungsmakler, einen Homöopathen für Hunde und Katzen und jemanden, der den Leuten ihre Goldzähne abkaufte. In einem der Eckfenster im Untergeschoss leuchtete eine purpurne Neonreklame. MADAME ZORITA, HANDLESEN & WEISSAGUNGEN, WEISS ALLES.

Weiß alles?

Hätte sie ihren Laden geöffnet gehabt, wäre ich in Versuchung gekommen, sie zu fragen, wo Liz abgeblieben war. Um das Geld zu sparen, untersuchte ich meine Handlinien selbst. Nach einem Moment intensiver Betrachtung kam ich zu dem Schluss, dass dieses Gekrussel von Linien sich über Nacht unmöglich derart verändert haben konnte, um daraus Rückschlüsse auf den Aufenthaltsort meiner Schwester ziehen zu können.

Wollte sich hier eigentlich überhaupt niemand blicken lassen? Ich durchwühlte meine Sachen. Mir war gerade eingefallen, dass ich einen Kugelschreiber mit eingebauter Taschenlampe in meinem Rucksack hatte. Ich schüttelte ihn, die Lampe funktionierte noch. Dann fischte ich mein Taschendiktiergerät hervor und lauschte meiner Stimme beim Üben der spanischen Aussprache: *»¡Es excelente! ¡Es estupendo! ¡Es magnífico!«*

Endlich tauchte ein schlaksiger Mann mit Lederkrawatte und einem Bund klirrender Schlüssel aus Messing auf. Er schloss die Türen auf und ich folgte ihm in das Gebäude. Nach einem schnellen Blick über die Anzeigetafel an der Wand sprach ich ihn an.

»Gibt es hier einen dreizehnten Stock, Sir?«, fragte ich.

Überrascht drehte er sich um. Für einen Moment dachte ich, er wäre nie zuvor mit »Sir« angesprochen worden und wüsste jetzt nicht, wie er damit umgehen sollte.

»Mein lieber Junge«, sagte er mitleidig, »du bist schon der Zweite, der danach fragt. Ob es hier einen dreizehnten Stock gibt? Können Schweine fliegen? Da hat dich wohl jemand auf den Arm genommen.«

Mein Herz machte einen Sprung. »War die andere Person vielleicht ein Mädchen – ich meine, eine junge Frau? Mit einer großen Brille? Gestern Nachmittag?«

»Passt.«

»Was geschah dann, Sir? Ist sie wieder gegangen?«

»Ist sie, und zwar in den Fahrstuhl. Ich hab noch gesehen, wie sie nach oben gefahren ist, und das war's. So und jetzt muss ich mich um meine Arbeit kümmern.«

Er verschwand durch eine Tür und ich betrat den Fahrstuhl, der mit einer Art rötlichem Mahagoni ausgekleidet war, das früher einmal poliert und auf Glanz gewienert gewesen sein musste. Jetzt waren die Paneele mit Namen und pfeildurchbohrten Herzchen beschmiert und in das Holz waren Initialen geritzt.

Es gab keine Knöpfe, die man drücken konnte. Der Fahrstuhl funktionierte per Selbstbedienung: Ein gerahmtes Schild erklärte, dass man einen Hebel in Pfeilrichtung umlegen sollte, nach vorn oder hinten, bis man durch das kleine Guckfenster in der Tür die Etage sah, in die man wollte.

Ich schloss die Aufzugtür und zog den Hebel zurück. Tatsächlich setzte der Fahrstuhl sich langsam und knarrend nach oben in Bewegung. Wenn man den Hebel ein Stück weiter zurückzog, fuhr der Aufzug etwas schneller.

Durch das Fensterchen, das gerade so groß war wie ein kleinerer Bilderrahmen, sah ich die Nummern der Stockwerke vorbeihuschen, die mit weißer Farbe gut sichtbar an die Wände des Aufzugschachts gepinselt waren. Als ich im zwölften Stock ankam, ließ ich den Fahrstuhl im Schneckentempo weiterruckeln. Zentimeter für Zentimeter ging es jetzt weiter nach oben, ohne dass ich genau wusste, wonach ich Ausschau halten sollte. Kurz darauf tauchte eine weiße Vierzehn hinter dem Fensterchen auf. Einen dreizehnten Stock gab es nicht.

Ich drückte die Tür auf, trat hinaus und sah mich um. Hinter mir schloss sich die Tür.

»Liz?«

Weit und breit war keine Menschenseele zu sehen. Den Postern nach zu schließen, die noch immer an den Wänden hingen, hatte sich hier oben einmal eine Fabrik für Overalls befunden.

Gerade als ich die Fahrstuhltür öffnen wollte, rauschte er zurück nach unten. Der Typ mit der Lederkrawatte musste ihn gerufen haben. Ich wartete kurz, dann drückte ich auf den Knopf, um ihn wieder nach oben zu holen.

Das Warten dauerte mir zu lange, also beschloss ich, es über die Treppen zu versuchen. Wenn es Liz irgendwie gelungen war, einen Zugang zum dreizehnten Stock zu finden, würde auch ich das schaffen.

Den Blick ins Dunkle gerichtet, tastete ich mich nach unten, Schritt für Schritt, während ich mit den Händen die Wände absuchte. Ich hoffte, jeden Augenblick einen Mechanismus auszulösen, der eine Geheimtür oder so etwas öffnete.

Aber es tat sich nichts. Als ich den nächsten Treppenabsatz erreicht hatte, fand ich mich im zwölften Stock wieder.

Ich probierte noch einmal nach dem Aufzug zu klingeln. Wochen schienen zu vergehen, bis er endlich angerumpelt kam. Wieder spähte ich durch das Fensterchen, suchte nach der kleinsten Veränderung, während der Fahrstuhl Zentimeter um Zentimeter nach oben ruckelte.

Da war doch etwas.

Ich ließ den Aufzug anhalten und kniff die Augen zusammen. Hatte Liz das vielleicht auch gesehen, diesen punktförmigen gelben Strahl, der mir entgegenschien wie Licht, das unter einer Tür hindurchfällt?

Ich riss die Fahrstuhltür auf. Die graue undurchdringliche Mauer des Aufzugschachtes starrte mir entgegen.

Ich trat zurück an das Guckfenster. Der Lichtstrahl war doch am unteren Ende des Rahmens aufgetaucht – und da war er schon wieder! Mein Herzschlag wurde zu Donnerhall, so laut, dass er die Musik aus meinem Walkman übertönte.

Ich drückte den Steuerhebel leicht nach vorn, um den Aufzug ein winziges Stück nach unten zu fahren und so eine bessere Sicht zu erhalten. Es *war* ein Lichtstrahl! Er war millimeterfein und von rauchigem Gelb – und schon war er wieder verschwunden.

Ich überlegte kurz, ob es vielleicht ein Leuchtkäfer sein konnte, der sich im Aufzugschacht verirrt hatte. Aber in San Diego gab es keine Leuchtkäfer. Jedenfalls hatte ich noch nie einen gesehen.

Da war der Lichtstrahl wieder. Langsam fand ich heraus, wie ich den Kopf auf und ab bewegen musste, um ihn aufleuchten und wieder verschwinden zu sehen.

Unten klingelte jemand nach dem Aufzug, doch ich hielt ihn an Ort und Stelle fest. Vielleicht sollte ich versuchen den Lichtstrahl genau in der Mitte des Fensters zu zentrieren, ähnlich wie man das Fadenkreuz eines Gewehrs auf ein Ziel ausrichtet. Möglicherweise musste der Fahrstuhl sich genau zwischen den beiden Stockwerken einpendeln. Vielleicht war das des Rätsels Lösung.

Ich ließ den Aufzug ein weiteres Stück nach unten gleiten, bis der Lichtstrahl wieder zu sehen war, dann noch ein Stückchen.

Jetzt hatte ich ihn genau in der Mitte. In meinen Ohren spielte inzwischen eine ganze Jazzkapelle.

Mit angehaltenem Atem öffnete ich die Fahrstuhltür.

Die Mauer war nicht mehr da.

Ich hatte den dreizehnten Stock entdeckt!

Ein Schritt nach vorn, und ich stand in windgepeitschter, heulender Dunkelheit. Hinter mir knallte die Tür zu, der Aufzug sackte nach unten.

Sekundenbruchteile später fühlte ich, wie sich der Boden unter meinen Füßen hob. Wie eine Katze, die man mit einem Tritt aus dem Weg befördert, wurde ich gegen eine Wand zu meiner Linken geschleudert. Erdbeben! schoss es mir durch den Kopf. Ich streckte die Hände aus, um das Gleichgewicht zu halten. Ich roch kräftigen, salzigen Wind. Und dann sah ich den Lichtstrahl wieder: Kerzenschein, der im Inneren einer eckigen Laterne aufflackerte. Die Laterne hing von der Holzdecke eines sich neben mir öffnenden Zimmers herab und schwankte hin und her.

Licht und Schatten tanzten durch den Raum. Jetzt wusste ich, dass ich nicht von einem Erdbeben überrascht worden war. Der dreizehnte Stock, den ich entdeckt hatte, war ein Schiff auf hoher See.

4. Kapitel

Käpt'n Crackstone

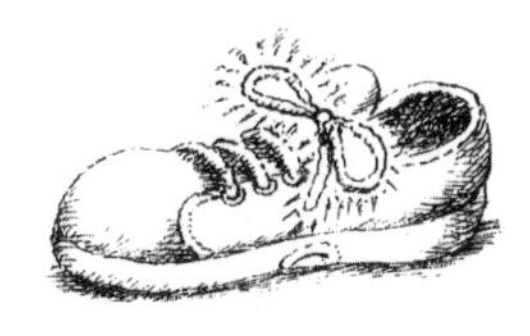

In der Dunkelheit war nur das phosphoreszierende Leuchten meiner grünen Schnürsenkel zu sehen. Ich kramte die kleine Taschenlampe aus meinem Rucksack, steckte sie aber wieder ein, als ich mich zu der Laterne im Nebenraum vorgetastet hatte. Ich nahm sie von ihrem Haken, der in einem rauen Holzbalken steckte, und leuchtete in alle Richtungen. Aber bis auf die nassen Planken unter meinen Füßen und die feucht glitzernden Längsverstrebungen des Schiffes gab es nichts zu sehen. Ich kam mir vor wie im Walfischbauch.

Ich spürte die nächste Welle heranrollen und stemmte mich vorsorglich gegen den Boden. Unter meinen Füßen ertönte ein Schwappen, wie von Wasser, das in eine Schüssel gegossen wird. Es wanderte von einer Seite des Schiffes zur anderen.

Von so etwas hatte ich schon gehört. Es musste Leckwasser sein, das sich im Schiffsbauch gesammelt hatte. Es stank schlimmer als tote Ratten. Überhaupt gab es hier unten ziemlich viel Geschwappe. Alarmiert hob ich die Laterne. Ein dünner Wasserstrahl zischte wie Sprühnebel durch ein feines Leck zwischen den

Schiffsrippen. Gab es an Bord dieses Schiffes denn niemanden, der für Lecks zuständig war?

Als ich nach vorn stolperte, verrieten mir die unbehauenen Kojen entlang der Wände, dass ich mich in der Kabine für die Mannschaften befand. Und jetzt erst fiel mir auf, dass die Radioklänge aus meinem Walkman verstummt waren. Ich nahm den Kopfhörer ab.

Wo war die Mannschaft? Irgendjemand musste sich doch an Bord befinden. Schließlich konnte die Kerze in der Laterne, die ich hielt, sich nicht selbst angezündet haben.

Und dann, unter einem heftigen Aufbäumen des Schiffes, flog mir die Laterne aus der Hand und die Kerze erlosch. Nur meine Schnürsenkel glühten noch, allerdings verbreiteten sie weniger Licht als ein Katzenauge am Fahrrad. Wie ein Blinder ohne Stock ertastete ich mir den Weg durch den schwarzen Schiffsbauch.

»Liz?«

Sie musste irgendwo an Bord dieses Schiffes sein. Ich wollte sie unbedingt finden, um ihr mitzuteilen, dass auch ich den dreizehnten Stock entdeckt hatte.

Ich weiß nicht, woher die Hand kam, aber sie zuckte so schnell wie ein Blitz auf meine Schulter herab.

»Herr, sei meiner Seele gnädig!«, rief der Mann, dessen Atem ich an meinem Ohr fühlte. »Da kriecht 'n Geist aus der Bilge, 'ne gottlose Seele!«

»Nein, Sir – «

»Aye, sag ich! Hast vergessen das Geisterleuchten an deinen Füßen abzustellen, was?«

»Das sind nur meine Schnürsenkel, die im Dunkeln glühen!«, sagte ich. »Ich bin kein Geist!«

Er schubste mich nach vorn. »Los, auf Deck! Und keine Geistermätzchen, sonst hängt der Käpt'n deine Haut zum Trocknen auf! Hat keine Angst vor gar nix, der Käpt'n! Würd mich nich wundern, wenn er Kobolde ersäuft wie 'n Sack voller Katzen.«

Wir stiegen eine niedrige Treppe nach oben und kamen in einer schlecht beleuchteten Vorratskammer heraus. Ich versuchte mich umzudrehen und erhaschte einen kurzen Blick auf den Mann, der mich vor sich herschubste. Seine Haare und sein Bart waren wild zusammengewachsen und so dicht verfilzt, dass für Augen und Nase kaum Platz blieb. »Rauf! Rauf mit dir, du Unhold!«, befahl er.

Obwohl er sich so aufplusterte und den Mutigen markierte, wusste ich, dass er Angst hatte. Fest grub sich seine Hand in meine Schulter wie ein fetter, behaarter Krebs. Wir stiegen weiter nach oben.

Als wir auf Deck ankamen, hätte ich nicht sagen können, ob gerade Tag oder Nacht war. Das Schiff wurde unter schwarzen Wolken von einem brüllenden Sturm geschüttelt. Wind peitschte mir ins Gesicht und fegte mir beinahe den Atem aus dem Mund. Dann rauschte eine Welle über Bord und nur der eiserne Griff des

Matrosen bewahrte mich davor, davongespült zu werden. Er hatte einen Geist gefangen und um nichts in der Welt würde er ihn wieder loslassen. Mit einem Stoß in den Rücken trieb er mich auf das Heck des Schiffes zu.

Jetzt erkannte ich, dass wir uns auf einem alten Segelschiff befanden. Die Mannschaft mühte sich zwischen wassersprühendem Tauwerk damit ab, die Segel vor dem Sturm zu bergen.

Als wir uns dem Heck näherten, schrie der Geisterfänger mir ins Ohr: »Die Leiter rauf! Aufs Achterdeck und benimm dich anständig!«

Es war ein Achterdeck, wie ich es aus alten Piratenfilmen kannte. Es erhob sich über dem Heck wie eine Bühne, auf der die Kapitäne herumspazierten und Befehle brüllten. Doch wenn das, was da schlagartig von einem Blitzstrahl beleuchtet wurde, der Kapitän war, dann benahm er sich überhaupt nicht wie im Film. Ein schwarzer Umhang blähte sich um seine Schultern, ganz ruhig stand er dort und beobachtete die barfüßigen Matrosen, die wie Seiltänzer über ihm durch das Tauwerk kletterten.

»Sehnse mal, was ich gefunden hab, Sir!«, rief der bärtige Matrose, der froh war seinen Lotteriegewinn endlich loszuwerden. »Kam aus der Bilge gekrochen, bei meiner Treu! Und das, wo wir seit drei Monaten kein Land nich gesehen haben. Was könnt es sein wenn nich ’n Geist, von Madagaskar wohl, der hier rumstreicht, Sir? Ein echter Spuk, aye, und seine Füße leuchten noch! Soll ich ’n über Bord werfen?«

Der Umhang des Kapitäns flatterte und knatterte im Sturm wie eine schwarze Fahne. »Besser nicht, Segelmacher«, sagte er leichthin. »Geister vermögen wie die Heringe zu schwimmen, guter Mann. Überlass den Eindringling mir. Und kein Wort mehr davon, Segelmacher – nicht das kleinste Flüstern. Höre ich das Geringste über einen Geist, so werde ich *dich* über Bord werfen, verstanden? Wenn du jetzt so freundlich wärst an den Stagen zur Hand zu gehen?«

»Aye, Sir. Schwimmen also wie die Heringe, was?«

»Kein Wort davon!«

Der Segelmacher kletterte eilig die Leiter herunter und mit bohrendem Blick wandte der Kapitän mir seine ungeteilte Aufmerksamkeit zu. Sein bloßes Haupt erhob sich gegen den schwarzen Himmel, langes, zerzaustes Haar umwirbelte sein Gesicht. Er schien nicht gerade überglücklich mich an Bord zu haben.

»Zu welcher Sorte Narren gehörst du?«, rief er durch den Sturm. Sein Englisch glich dem von Abigail Parsons. Er klang wie einer der Beatles, nur ohne Gitarre. »Hast du nichts Besseres zu tun, als dich inmitten abergläubischer Matrosen als Geist auszugeben? Was ist das da an deinen Schuhen?«

»Das sind nur meine Schnürsenkel, Sir.«

»Schnürsenkel? Was, beim Schöpfer, soll das sein?«

Ich starrte ihn aus zusammengekniffenen Augen an. Er musste doch wissen, was Schnürsenkel waren!

»Du könntest ein Jona sein, der unsere Heimreise gefährdet!«, donnerte er. »Der unseren Untergang ankündigt! Die Mannschaft wird dich gern mit Messern und glühenden Zangen vom Schiff jagen!«

»Aber ich wusste doch nicht, dass man mich für einen Geist halten würde, Sir!«

»Wie bist du an Bord gekommen?«, brüllte er. »Ist dieser Pirat aus dem Roten Meer noch hinter uns her? Hat der Sturm dich wie einen Holzspan von seinem Schiff gewirbelt? Und hast du dich dann hier an Bord gehievt? Antworte!«

»Nein, Sir. Ich kam aus dem Fahrstuhl und –«

»Fahrstuhl? Was ist das?«

»Sir?« Ich starrte ihn an. In seinem von oben bis unten roten Gewand und dem schwarzen Umhang sah er aus, als wäre er gerade von einem Kostümfest gekommen. Langsam wurde mir dieses verwitterte alte Schiff mit seiner barfüßigen Besatzung unheimlich.

»Hast deine Zunge verschluckt, was?«, schnappte er ungeduldig. »Wer bist du? Warum sprichst du ein so seltsames Englisch? Woher stammt diese verteufelte Kleidung? Und wie bist du an Bord gekommen? He, antworte, Junge! Käpt'n John Crackstone spricht mit dir!«

Crackstone? Der Pirat, der in den Ästen unseres Stammbaums baumelte? Ich stand wie versteinert in der Gischtwolke, die in diesem Moment wie Vogeldreck über uns hinwegsprühte.

Wo war ich da aus dem dreizehnten Stock nur hineingestolpert? Die wildesten Gedanken schossen mir durch den Kopf, es verschlug mir den Atem. Hatte Liz nicht gesagt, Käpt'n Crackstone sei vor dreihundert Jahren gehängt worden? Aber hier stand er vor mir, in Lebensgröße. Und hier stand ich und unterhielt mich mit ihm. Woher sollte er wissen, was ein Fahrstuhl oder Schnürsenkel waren? All das war noch gar nicht erfunden worden! Wenn dies wirklich Käpt'n John Crackstone war, befand ich mich an Bord eines Piratenschiffes, in einem Sturm, der vor dreihundert Jahren getobt hatte. Ich musste so weit rückwärts durch die Zeit gestolpert sein, dass auf seinen Karten noch nicht einmal alle Staaten Nordamerikas eingezeichnet waren.

»Sprich!«, blaffte er.

»Ich bin ein blinder Passagier«, stotterte ich. Wenn ich ihm etwas von Hochhäusern und dreizehnten Stockwerken zu erzählen versuchte, würde er mich für verrückt erklären.

»Blinder Passagier!«, röhrte er, als wäre unter seinem Hintern ein Pulverfass hochgegangen, »du weißt wohl nicht, dass ein Käpt'n lieber Bandwürmer hätte als einen schmarotzenden blinden Passagier an Bord!«

»Es tut mir Leid, Sir«, sagte ich. »Aber ich bin davongelaufen. Um Seemann zu werden.«

»Davongelaufen, was? Mitten in diesem infernalischen Ozean?«

»Nein, Sir, ich ...« In meinem Kopf überschlugen sich die Gedanken auf der Suche nach einer passenden Antwort, doch er nahm mir die Aufgabe ab.

»Vermutlich hat der Segelmacher doch richtig vermutet – du hast dich im pestverseuchten Madagaskar an Bord geschlichen!«

Ich ergriff die Gelegenheit sofort beim Schopf. »So ist es, Sir. Im pestverseuchten Madagaskar!« Ich konnte mich nicht entsinnen, wo genau Madagaskar lag, aber es klang ganz brauchbar. »Und meine Schwester ist mit mir an Bord gekommen. Wahrscheinlich hat sie sich in einer der Kabinen in Sicherheit gebracht, Sir.«

»Ein tollkühner Lügner!« Seine Zähne blitzten hinter dem Anflug eines Lächelns auf. »Teufel auch, soll ich dir wirklich glauben, Junge, du hättest dich seit Madagaskar versteckt gehalten und durchgefuttert – ohne dass einer meiner Männer was gerochen hat? Wo du nach drei Monaten unten in der Bilge zum Himmel stinken müsstest wie ein ganzes Fass voller faulender Fische?«

Ich wechselte das Thema. »Sir, es tut mir Leid, aber ich habe schlechte Neuigkeiten für Sie. Im Rumpf Ihres Schiffes ist ein Leck.«

»Nur eins?«, gab er zurück. Er war wohl nicht leicht aus der Ruhe zu bringen. »Wie groß ist es denn?«

»Wie ein Riss in einem Gartenschlauch.«

»Einem was?« Seine Augen wurden schmaler. Er wusste wieder nicht, wovon ich redete.

»Ein Leck eben, Sir«, sagte ich.

»Mister Dashaway«, rief er zu einem Riesen mit eingedrückter Nase und großen Spangen auf den Schuhen gewandt. »Sir, dieser blinde Passagier teilt mir mit, dass wir in der Bilge ein Leck haben. Kümmern Sie sich mal darum, wenn sie die Zeit dazu finden. Sollten wir sinken, dann finden Sie die Zeit eben etwas schneller.«

»Ein blinder Passagier, Käpt'n?«

»So gut versteckt wie ein Floh.«

Ich war mir nicht sicher, ob Käpt'n Crackstone mir meine Geschichte abnahm. Aber vermutlich hatte er lieber einen blinden Passagier an Bord als einen Geist, der die Mannschaft in Aufruhr versetzen und sich als ein Jona herausstellen konnte, der die Heimreise gefährdete. Ein Jona, nahm ich an, musste so etwas wie das größte denkbare Unglück sein, das Seeleute treffen kann.

Er wandte sich mir wieder zu. »Ich dulde keine Gäste an Bord. Bis zum nächsten Hafen wirst du dich auf Deck nützlich machen.«

»Jawohl, Sir.«

Bis zu diesem Moment war mir nicht aufgefallen, dass er ein kupfernes Schiffssprachrohr unter den Arm geklemmt hatte. Jetzt hob er es an die Lippen und rief einem kleinen Mann etwas zu, der ein gelbes, triefnasses Tuch wie ein Stirnband um den Kopf gebunden hatte.

»Bosun! Die Großsegel singen schon ein viel schöneres Lied! Diese kleine Brise legt sich bald wieder. Ich verspreche dir, zum Abendessen wird uns die Sonne lachen!«

Wie hypnotisiert betrachtete ich das kupferne Sprachrohr. Wie neu es aussah, ohne die kleinste Beule, und doch so vertraut! Dabei musste es in genau diesem Augenblick zu Hause im Arbeitszimmer meines Vaters im Regal stehen.

»Bosun?«

»Aye, Sir!«

»Schon irgendein Anzeichen von diesem Schurken aus dem Roten Meer?«, rief Kapitän Crackstone.

»Nichts, Sir.«

»Diese Halsabschneider riechen einen Schatz auf tausend Seemeilen Entfernung!«

»Sind schlimmer als schnüffelnde Hunde, Sir!«

Es befand sich also ein Schatz an Bord! Und ich war hier und würde möglicherweise beobachten können, wo sie ihn versteckten!

Durch das Sprachrohr dröhnte Kapitän Crackstone: »Sobald sich die See beruhigt hat, setzt du einen Ausguck ein!«

»Meine Männer haben seit Stunden kein Auge zugetan.«

»Ich schicke dir jemanden«, rief er und wandte sich mir zu. »Es macht dir doch nichts aus, Junge, eine Weile im Krähennest Quartier zu beziehen, oder? Sobald wir wieder weiter sehen können als bis zu unserer Galionsfigur.«

Ich konnte mir leider nur allzu gut vorstellen, was mit dem Krähennest gemeint war. Es musste das Fass sein, das dort oben mit der Spitze des Großmasts hin und her schwankte wie das Pendel des Metronoms, das zu Hause auf unserem Klavier stand. Wer in das Krähennest hineinkletterte, konnte sofort wieder herausgeschleudert werden. Es sah Furcht erregend aus.

»Sir, ich kann es kaum erwarten, da rauf zu klettern«, sagte ich. »Ich würde nur gern am Leben bleiben.«

»Pass mal auf, Junge, ich habe schon mit neun Jahren in den Rattenseilen da oben gehangen«, antwortete er. »Ins Krähennest zu klettern, ist eine hervorragende Übung für das Leben als Seemann.«

Jetzt tat es mir schon Leid, dass ich behauptet hatte davongelaufen zu sein, um zur See zu gehen. »In Wirklichkeit bin ich nur an Bord gekommen, um nach meiner Schwester zu suchen, Sir.«

Er bedachte mich mit einen scharfen Blick. »Deine Schwester?«

»Jawohl, Sir.«

»Bist du toll? Auf diesem Schiff gibt es keine Frauen.«

»Aber sie muss hier sein! Irgendwo!«

»Und ich sage dir, das ist sie nicht.«

Ich versuchte nicht in Panik zu geraten.

Selbstverständlich war sie hier. Als ihr klar geworden war, dass sie mit Piraten zu tun hatte, musste Liz sich versteckt haben. Ich würde sie schon finden.

5. Kapitel

Die Lachende Meerjungfrau

Hinter mir klapperte eine Tür. »Warte dort im Kartenraum«, wies er mich an. »Und mach die Tür richtig zu, bevor der Sturm sie aus den Angeln hebt.«

Ich hatte nichts dagegen, mich aus dem Unwetter zu verziehen. Der Kartenraum war ein viereckiger Verschlag mit niedriger Decke. An einem eisernen Haken schwankte eine Laterne mit jedem Schlingern des Schiffes hin und her und quietschte dabei jedes Mal wie eine Katze, der man auf den Schwanz getreten hatte.

Ich pfriemelte rasch meine Schnürsenkel aus den Schuhen, bevor ich noch einmal für einen Geist gehalten werden konnte. Dann sah ich mich um. Von meinen Armen und dem Rucksack tropfte das Wasser, als wäre ich gerade aus der Dusche gekommen. Dusche? Kein Mensch auf diesem Schiff würde begreifen, was damit gemeint war.

Hinter dem Tisch stand ein hoher Stuhl. Es enttäuschte mich, Liz nicht darauf sitzen und mir zulächeln zu sehen. Aber natürlich würde sie sich nicht so offen zeigen, wenn sie sich versteckt halten musste.

Ich griff nach einer Karte, die es auf den Boden geweht hatte, und studierte sie. Boston war darauf nicht schwer zu finden und die mit Tusche gestrichelte, sich der Küste nähernde Linie musste den Kurs dieses Schiffs beschreiben. Wie es aussah, waren wir gerade erst an einer Insel vorbeigesegelt, die Nantucket hieß. Und da stand auch der Name des Schiffes:

REISEN DES SCHIFFES
Die Lachende Meerjungfrau
FREIBEUTER
in den Jahren 1691 & 1692

Ich war mir nicht sicher, was ein Freibeuter war, aber ich nahm an, dass es sich dabei um eine Art Pirat handelte. Ich verfolgte die Route des Schiffes zurück; sie führte über den Atlantik, an der Spitze Afrikas vorbei und dann an der Außenküste einer riesigen Insel entlang – Madagaskar. Dort also war ich angeblich an Bord gekommen! Der Kurs setzte sich nach Norden fort, zu einem schmalen Wasserstreifen hin, der als Rotes Meer markiert war. Hier beschrieb die Route des Schiffes einen wilden Zickzackkurs, wie das Gekritzel, das ein Erdbeben auf der Richterskala hinterlässt. Vielleicht war die *Lachende Meerjungfrau* dort auf Raubzug gewesen.

»Liz?«

Ich hatte die Laterne vom Haken genommen und stieg damit eine enge Treppe hinab. Unten gab es Kabinen, außerdem einen großen Raum mit Tischen und Stühlen. Hier mussten der Kapitän und seine Offiziere wohnen.

»Liz?«

Anscheinend war ich in der Kabine des Käpt'n gelandet. Der Raum sah ziemlich protzig aus, mit Fenstern, die das gesamte Heck des Schiffes einnahmen. Gischt schäumte gegen das Fensterglas. Sie blieb daran haften wie geklöppelte Spitze, bis die nächste Welle alles wieder abspülte. Vor einem Ölgemälde, das eine lächelnde dunkeläugige Frau und einen Jungen etwa meines Alters zeigte, blieb ich stehen. Der Junge verschwand fast in seinem gestärkten Kragen, in dem er sich sichtlich unwohl fühlte. Ich nahm an, dass dies die Familie des Kapitäns war.

»He, blinder Passagier!«

Ich drehte mich um. Vor mir türmte sich Mister Dashaway auf, der Riese mit der eingedrückten Nase.

»Willst die Kajüte des Käpt'n ausrauben, was?«

»Nein, Sir! Ich glaube, es gibt noch einen anderen blinden Passagier an Bord. Meine Schwester, ich suche nach ihr. Sie müssen sie gesehen haben!«

»Die einzige Frau, die ich gesehen habe, hängt am Bug des Schiffes.«

»Hängt?«

»Die Galionsfigur, Junge. Die Meerjungfrau! Hast du denn noch nie im Leben ein Schiff gesehen?«

»Kein Segelschiff«, antwortete ich.

Ungläubig schüttelte er den Kopf. »Da könntest du auch behaupten, noch nie einen Vogel am Himmel gesehen zu haben!«, schnaubte er. »Nicht nur ein blinder Passagier und ein Dieb, sondern ein Lügner noch dazu.«

»Ich habe nichts gestohlen!«

»Darüber wird der Käpt'n entscheiden. So und jetzt zeigst du mir dieses Leck, das du entdeckt hast.«

Er nahm mir die Laterne aus der Hand und führte mich von Deck zu Deck nach unten. Ich konnte hören, wie die See mit mächtigen Fäusten gegen den Schiffsbauch trommelte. Gleichzeitig hatte ich den Eindruck, dass das Schiff nicht mehr so heftig schlingerte wie bisher. Meine Augen suchten in den dunklen Ecken und Winkeln nach Liz. Wo steckte sie nur?

Als wir in der Bilge ankamen, sahen wir das schwankende Licht einer weiteren Laterne.

Es war Käpt'n Crackstone, der wohl beschlossen hatte, selbst nach dem Rechten zu sehen. Der Sturm musste tatsächlich nachgelassen haben, sonst hätte Käpt'n Crackstone sicher nicht das Achterdeck verlassen.

»Zeig uns den Weg«, sagte er zu mir.

Mehr kriechend als gehend bewegten wir uns auf das Heck des Schiffes zu. Niemals würde Liz in dieser stinkenden Bilge herumhängen – nicht ohne eine Wäscheklammer auf der Nase.

Ich deutete auf das Leck. »Dort, Sir.«

Käpt'n Crackstone kniff ein Auge zusammen

und gab ein kleines Lachen von sich. »Aber Junge, das ist ja kaum größer als ein Nadelstich! Was ist Ihre Meinung, Mister Dashaway?«

Wie sich herausstellte, war Mister Dashaway der Erste Maat, in der Befehlsgewalt folgte er unmittelbar auf den Kapitän. Er rubbelte an seiner zerquetschten Nase und sagte mit schnurrender Stimme: »Dieser Nadelstich könnte uns glatt versenken, Käpt'n. Der wird aufplatzen wie 'n Furunkel.«

»Sir, Sie haben eine entschieden zu düstere Weltsicht.«

»Und Sie nehmen die Sache nicht ernst genug, Käpt'n. Das Schiff muss auf die Seite gelegt, der Rumpf vollständig gesäubert und abgedichtet werden.«

»Das wird warten müssen, bis wir Boston angelaufen haben. Ich habe Frau und Kind seit zwei Jahren nicht gesehen.«

»Wenn wir sinken, werden Sie die beiden überhaupt nicht mehr wieder sehen«, sagte der Erste Maat. »Werfen Sie mal einen Blick auf das Leckwasser, das hier herumschwappt. Der Rumpf ist löchrig wie 'n Sieb, und das, wo aus unsern Pumpen längst Kleinholz geworden ist! Und es klebt so viel Seegras dran, dass wir kaum noch geradeaus fahren können. Ich meine, wir sollten den Kurs ändern und irgendwo anlegen, Käpt'n.«

»Und ich meine, wir fahren nach Boston, Mister Dashaway. Jetzt, wo die Wäsche eingeholt ist«, – ich nahm an, er meinte die Großsegel – »geben Sie Ihren Leuten eine Stunde frei. Anschließend sollen alle verfügbaren Männer dieses Leckwasser abschöpfen. Der Schiffsbauch wird geschrubbt, bis er trocken ist wie Pergament, dann mit Kupferfolie abgedeckt. Wir haben noch genug Folie, oder?«

Ich starrte in die feuchte Dunkelheit. Irgendwo außerhalb des Laternenscheins befand sich der dreizehnte Stock. Ich konnte innerhalb von Sekunden hier draußen sein. Aber nein, nicht ohne Liz. Und was war mit dem Schatz? War er in den Truhen und Kisten versteckt, die ich vorhin in der Kabine des Käpt'n und unter Deck bemerkt hatte?

Mister Dashaway machte sich auf den Weg nach oben. Dann blieb er stehen und musterte mich im Lichtschein der Laterne grimmig. »Hab diesen dürren Schlingel erwischt, wie er Ihre Kabine durchstöbert hat, Käpt'n. Lügt, dass sich die Balken biegen. Behauptet, nie zuvor ein Schiff gesehen zu haben, und so was nennt sich Seemann!«

»Ich werde mich darum kümmern, Mister Dashaway.«

»Ich hab nicht gelogen«, sagte ich leise. »Ich hab herumgeschnüffelt, aber ich habe nichts gestohlen.«

»Wir werden sehen.«

Mit der schwankenden Laterne in der Hand führte er mich zurück in seine Kabine. »Wie heißt du?«

»Stebbins«, sagte ich.

Er wirbelte herum. »Willst du mich zum Narren halten?«

»Nein, Sir. Mein Name ist Stebbins.«

Er hielt mir die Laterne vor die Augen. »Stebbins«, wiederholte er wie ein scharfes Echo.

»Genau wie Sie«, sagte ich wagemutig.

Jetzt steckte seine Nase fast in meinem Gesicht. »Stebbins soll ich heißen? Wer hat dir denn diesen Floh ins Ohr gesetzt?«

»Ich hab's gelesen.«

»Der Kleine kann lesen! Womöglich noch in den dicken Londoner Zeitungen! Wo steht geschrieben, dass der Pirat John Crackstone und Käpt'n John Stebbins ein und dieselbe Person sind?«

»Hier und dort«, antwortete ich vage.

»Also ist mein Geheimnis heraus.«

Ich hätte ihn auch davon in Kenntnis setzen können, dass er wegen Piraterie am Galgen enden würde, doch das erschien mir zu unhöflich. Ich würde ihm auch nicht sagen, dass er einer meiner Vorfahren war. Er würde mich für einen Irren halten. »Sie werden berühmt werden, Sir!«

»Berühmt?«, murmelte er. »Berühmt? Das sind schlechte Nachrichten für einen Mann meiner Profession.« Dann entschied er, die Angelegenheit mit einem blitzenden Lächeln zu betrachten. »Ist ein Kopfgeld auf mich ausgesetzt?«

»Sollte mich nicht wundern, Sir.«

»Ich werde es verdoppeln!«, lachte er und damit war der Fall für ihn erledigt. Stattdessen fragte er erneut: »Was ist das für ein ungewohntes Englisch, das du sprichst? In welcher Kolonie bist du aufgewachsen?«

Ich war mir nicht sicher, ob Kalifornien schon auf seinen Karten eingezeichnet war, also sagte ich: »Westlich von Boston, Sir.«

»Vielleicht Vermont?«

»Noch weiter westlich«, sagte ich. Viel weiter.

Er zuckte die Achseln und ließ das Thema fallen. »Nun, das ist deine Sache.«

Als wir in seiner Kabine angekommen waren, hängte er die Laterne auf und sah sich mit einem raschen Blick um.

»Ich habe nichts weggenommen, Sir«, sagte ich. »Sie können meine Tasche durchsuchen.«

»Das wird nicht nötig sein, Stebbins. Alles ist an Ort und Stelle.«

»Bitte, sehen Sie nach!«, sagte ich, ängstlich darauf bedacht, mich von jedem Verdacht rein zu waschen. »Es sind fast nur Schulbücher.«

Ich leerte den Rucksack auf den Boden aus, der sich noch immer hob und senkte, wenn auch nicht mehr so heftig, dass man aus den Schuhen kippte. Ich hoffte nur, der Käpt'n würde sich nicht nach der Taschenlampe oder dem Diktiergerät erkundigen. Ich würde zehn Jahre brauchen, um ihm das zu erklären.

»Aye, hab dich gleich für einen Schuljungen gehalten«, sagte er. Er fischte eines der Bücher heraus, mein Geschichtsbuch, und schlug es auf. Er hielt es näher an die Laterne, blätterte eine

Seite um und schnalzte mit der Zunge. »Was ist der Zweite Weltkrieg, Stebbins?«

»Das ist nicht so leicht zu erklären.«

»Sind das Libellen?«

Sein Finger lag auf einem Bild von Flugzeugen, die sich über Frankreich eine Luftschlacht lieferten.

»Genau, Sir.«

Er blätterte weiter und hielt inne. »Was für eine lustige Puppe.«

Die Freiheitsstatue. »Stimmt«, sagte ich.

Er schlug das Buch zu. »Unsinn für Schuljungen.«

»So ist es ... Wie Sie sehen, habe ich nichts weggenommen.«

Er streifte den nassen Umhang ab. »Stebbins, nicht mal ein Schwachsinniger würde mitten auf hoher See mehr als eine Brotkruste stehlen. Wo würdest du die Beute denn verstecken wollen, hm?«

»Ihr Schatz ist vor mir sicher, Sir«, sagte ich. »Ich suche nur nach meiner Schwester.«

Er warf mir einen scharfen Blick zu. »Wer hat von einem Schatz an Bord gefaselt?«

»Sie, Sir.«

Er wanderte an der Fensterfront entlang, dann spuckte er ein Lachen aus. »Ich fasele also, was? Nun denn ... Aber habe ich auch verraten, wo die Beute versteckt ist? Ich glaube kaum! Einen Schatz lässt man nicht herumliegen, damit der nächstbeste Dummkopf darüber stolpert. Die Beute befindet sich an Bord, junger Stebbins, aber selbst meine Mannschaft weiß nicht, wo ich sie versteckt habe. Macht wunderbar treue Burschen aus ihnen! Aye, und deshalb werden sie dieses kostbare Schiff über Wasser halten, selbst wenn sie es auf den Rücken laden müssten!«

»Sind das alles Halsabschneider?«, stotterte ich.

»Nur die Hälfte von ihnen. Die andere Hälfte sind ganz normale Mörder.« Lachend ließ er sich in einen samtgepolsterten großen Stuhl fallen, der hinter dem Kartentisch stand. »Auf See, Junge, fragt man nicht laut nach der Vergangenheit eines Mannes. Wir sind Freibeuter, verstehst du, im Auftrag des Königs unterwegs, um feindliche Schiffe zu plündern. Glücklicherweise hat er viele Feinde. Führen wir immer noch Krieg gegen Frankreich?«

»Keine Ahnung, Sir.«

»Also, pass auf, es stimmt nicht, dass wir ein englisches Schiff angegriffen haben, das den Schatz vom Roten Meer an Bord hatte. Der Kahn war herrenlos! Lag gestrandet und bleich wie ein toter Wal im Sand des Roten Meeres. Der König mag den Schatz für sich beanspruchen, doch vorher muss er mich hängen! Sobald wir im Hafen von Boston vor Anker gegangen sind, werde ich die Beute unter mir und der Mannschaft aufteilen.«

Ich hätte ihm verraten können, dass der König ihn in der Tat an den Galgen bringen würde. Aber er würde mir nicht glauben. Woher sollte ich so etwas Schreckliches wissen?

»Jetzt geh und trockne deine Sachen am Ofen in der Kombüse«, wies er mich an. »Wenn ich will, dass du auf den Mast steigst, lasse ich nach dir schicken.«

6. Kapitel

Die Blutige Hand

Ich ging nicht zur Kombüse. Ich stöberte weiter herum, auf der Suche nach Liz. Wenn ich sie erst gefunden hatte, würden wir in den dreizehnten Stock zurückkehren und uns in San Diego von der Sonne trocknen lassen.

Lag sie vielleicht irgendwo zusammengekrümmt in einem Versteck, seekrank? Sie konnte nicht wissen, dass ich an Bord gekommen war. Trotz des heulenden Windes hätte ich gehört, wenn sie nach mir gerufen hätte.

Nachdem ich vergeblich an mehrere Kabinentüren geklopft hatte, konnte sie sich nur noch im Bug des Schiffes verborgen halten. Ich machte mich auf den Weg. Ich kam an einem niedrigen Raum mit einem flackernden Ofen vorbei: die Kombüse. Ein paar Matrosen, die aus dem Sturm hereingekommen waren, zogen ihre Mäntel aus, um sie am Feuer trocknen zu lassen und dabei ein kleines Schwätzchen zu halten.

»Das Land ist so nah, dass man's riechen kann«, hörte ich jemanden sagen.

»Du solltest deinen Anteil am Schatz nicht zählen, bevor du ihn erhalten hast, Kamerad.«

»Was glaubt ihr, wo er ihn versteckt hat? Unter seinen Federkissen?«

»Da hab ich schon nachgesehen.«

Ich hielt mich im Schatten und schlüpfte so unbemerkt an ihnen vorbei. Ein Stück weiter stieß ich auf die Kajüten der Mannschaft. Die Kojen waren alle mit Stroh ausgelegt, wie große Vogelnester. Wo das Schiff sich zum Bug hin verjüngte, um die See zu durchpflügen, war Fracht gelagert, die aus zusammengerollten Teppichen bestand.

Wie angenagelt blieb ich stehen. Zu meiner Linken stand auf einmal der bartgesichtige Segelmacher. Seine Augen fixierten mich, als wollten sie mich durchbohren.

»Hast den Käpt'n beschwatzt, he? Aber mich nich, o nein!«, verkündete er mit tiefer, grollender Stimme. »Ich erkenn 'nen Geist, wenn ich 'n seh. Steigt aus der Tiefe, ihr Seeteufel, und klettert auf jedes Schiff, das euch gefällt. Aye, wie sonst könntste mitten im Meer auftauchen, he? Aus der Tiefe biste gekommen, so isses! Bleib vom Vorderdeck weg mit deinen kalten Todesfingern. Zurück!«

Ich versuchte gar nicht erst mit ihm zu diskutieren. Wenn er an Geister glaubte, könnte ich mir in den Finger schneiden und er würde nicht glauben, dass er echtes Blut sah. Ich trat den Rückzug an. Das Vorderdeck konnte warten. Ich würde es später untersuchen.

Ich kletterte durch eine Luke nach oben und schaute mich um. Nur ein untersetzter Matrose war oben an Deck geblieben, um das Schiff auf Kurs zu halten. Die Wellen schlugen nicht mehr über Bord. Von den kleineren Segeln abgesehen waren alle Masten kahl wie Telefonleitungsmasten.

Ich hangelte mich an der Reling entlang an ein paar Kanonen vorbei, auf ein Boot zu, das kopfüber auf Deck festgezurrt war und aussah wie ein Schildkrötenpanzer. Eine großartige Zuflucht für Liz und ein gutes Versteck. Ich ging auf die Knie und steckte meinen Kopf unter den Rumpf. »Hey, Liz! Ich bin's, Buddy!«

Keine Antwort.

Ich sah noch einmal hoch zu den Masten. Erleichtert stellte ich fest, dass sie nicht mehr wie wild durch die Luft schwankten. Das Krähennest war wirklich nicht mehr als ein Fass, das an der Spitze des Großmasts angebracht war. Noch ein perfektes Versteck! Vielleicht hatte sich Liz vor Schreck in dieses Fass gerettet, als sie sich plötzlich unter Piraten wiedergefunden hatte. Wobei es ein Wunder wäre, wenn sie bei dem Seegang nicht gleich wieder wie ein Wurfgeschoss hinauskatapultiert worden wäre.

Eine Weile rührte ich mich nicht von der Stelle und mein Blick kehrte immer wieder zurück zum Krähennest. Irgendwo musst du doch sein, Liz, dachte ich. Und es wäre typisch für dich, dir ausgerechnet das übelste Versteck von allen auszusuchen. Bist du da oben? Bist du letzte Nacht dort raufgeklettert?

Ich glaubte es zwar nicht, allerdings würde ich es auch nie herausfinden, solange ich nicht da oben nachgesehen hatte.

Mein Herz begann wie wild zu hämmern. Der Gedanke, über die Brüstung und dann die Strickleiter hinaufzuklettern, jagte mir eiskalte Schauer über den Rücken. Und wenn ich jetzt noch einen Moment länger darüber nachdachte, würde ich zu viel Angst haben, es überhaupt zu versuchen.

Ich schlüpfte aus meinen Schuhen und hievte mich auf die hölzerne Brüstung. Ich griff mit beiden Händen nach der Strickleiter und streckte den linken Fuß aus, um ihn auf die erste Quersprosse zu setzen.

»Teufel aber auch!« Plötzlich stand der Käpt'n keine zwei Meter von mir entfernt. »Kannst es wohl kaum erwarten, das Rattenseil raufzuklettern, was, junger Stebbins? Kannst es kaum erwarten mit dem Unterricht auf See zu beginnen!«

Ich gab keine Antwort, ich sah stumm zu ihm hinunter.

»Ein Ausguck muss aber wissen, nach was er zu gucken hat«, sagte er grinsend. »Also belästige mich nicht, Stebbins, wenn du das Spritzloch eines Wals, einen rosaroten Sonnenuntergang oder einen Schwarm Kabeljau siehst. Die *Blutige Hand* ist's, nach der du Ausschau halten musst.«

»Die *Blutige Hand*?«, fragte ich.

»Aye. Ein so verdorbenes Schiff, dass selbst die Krebse sich weigern es zu begleiten. Der ganze Piratenabschaum des Roten Meeres segelt unter ihrem Totenkopf! Und der Schlimmste aus dem ganzen Haufen ist mein alter Kamerad, Käpt'n Harry Scratch. Wittert einen Schatz wie ein Hai eine Blutspur. Zweimal hat er uns bereits zu kapern versucht, seit wir Madagaskar verlassen haben, und er wird es ein drittes Mal versuchen. Irgendwo da draußen im Zwielicht versteckt sich die *Blutige Hand,* junger Stebbins. Aye, und folgt uns wie ein Haifisch.«

Plötzlich hielt er mir sein Sprachrohr entgegen.

»Nimm das mit nach oben. Bei diesem Wind wirst du es brauchen. Wenn du auch nur den kleinsten Fetzen eines Segels siehst, dann schreist du, bis dir die Lungen platzen!«

Als ich das Sprachrohr in die Hand nahm, war es, als käme ich nach Hause. Kein Zweifel, es war dieselbe kupferne Flüstertüte, die ich in San Diego an meine Lippen gehalten hatte, als ich nach Käpt'n Crackstone gerufen hatte.

»Rauf mit dir!«, befahl er. »Binde dich gut am Mast fest und halte die Augen offen.«

Ich steckte das Sprachrohr unter meine Windjacke und zog den Reißverschluss etwas höher. Aus dem Augenwinkel sah ich, wie ein Ausdruck der Verwunderung über das Gesicht des Käpt'n huschte. In der nächsten Sekunde fiel mir auch ein, woran es lag: der Reißverschluss natürlich.

Ich stieß mich von der Brüstung ab und hing wie eine Katze in der Strickleiter. Ein Blick nach unten, und ich sah die kalte See unter mir anschwellen und schäumen. Gab es hier keine Rettungswesten? Oder waren die auch noch nicht erfunden worden?

Ich kletterte nach oben, eine Hand nach der anderen, einen Fuß nach dem anderen. Bald wünschte ich mir, meinen Rucksack unten gelassen zu haben. Das Gewicht der Schulbücher zerrte an meinem Rücken.

Je weiter ich nach oben stieg, desto schmaler wurde die Leiter, desto heftiger blies der Wind. Schließlich war das Krähennest in Reichweite und ich rief: »Liz! Gib mir eine Hand!«

Tat sie nicht. Das Krähennest war leer. Langsam wurde ich richtig sauer auf Liz und ihre Versteckspielerei. Konnte sie nicht so sein wie andere Leute auch und einfach dann auftauchen, wenn man sie brauchte?

Ich kletterte in das Krähennest, erleichtert, die nicht allzu stabilen Rattenseile verlassen zu können. Ich entdeckte ein nasses, am Mast befestigtes Tau, das ich mir um die Taille wickelte und mit ein paar großen Knoten sicherte. Wenigstens konnte ich so nicht in die See geschleudert werden.

Ich sah in alle Himmelsrichtungen, konnte aber auf dem ganzen Ozean keine Segel ausmachen. Jetzt, nachdem wir die schwarzen Sturmwolken langsam hinter uns ließen, kroch Sonnenlicht zwischen den Wolken hervor wie Licht, das durch eine spaltbreit offene Tür fällt.

Wie klein das Schiff aus dieser Höhe wirkte. Mit jedem Knarren und Schwingen des Mastes fühlte ich mich mal zur einen, dann zur anderen Seite über dem Meer in der Schwebe hängen. Erstaunlich, dass ich nicht längst seekrank geworden war. Ich musste einen Magen aus Stahl besitzen, dachte ich. Vielleicht hatte ich den von Käpt'n Crackstone geerbt.

Ich duckte mich in das Fass, um für eine Weile dem Wind zu entkommen, und angelte den Walkman aus meinem Rucksack. Vielleicht gelang es mir, ihn wieder zum Laufen zu bringen und mir die Zeit ein wenig damit zu vertreiben, Musik zu hören. Aber die Batterien waren total erschöpft, völlig ohne Saft.

Aber nein. An den Batterien konnte es nicht liegen. Ich empfing statisches Rauschen.

Ich holte tief Luft. Dummkopf! *Es gab keine Radiosender.* Das Radio war noch gar nicht erfunden worden!

Ich zog den Reißverschluss meiner Windjacke bis zum Kragen hoch und dachte an den Spanischtest. Den hatte ich natürlich verpasst. Was für eine Entschuldigung konnte ich dafür vorbringen? Dass ich dreihundert Jahre zurück durch die Zeit geschleudert worden war? Meine Endnote würde katastrophal ausfallen.

»Alle Mann zu mir! Alle Mann zu mir!«

Es war die Stimme von Mister Dashaway, die von unten heraufdröhnte. Es dauerte nicht lange, und ich sah Männer, einer Ameisenkolonne gleich, eine Kette mit Eimern bilden, die durch eine Luke nach unten gereicht wurden, wahrscheinlich zur Bilge hin. Kurz darauf begann der letzte Mann auf Deck Eimer um Eimer voller Wasser ins Meer zu schütten.

Ich beobachtete den Vorgang mit dem stolzen Gefühl, womöglich den Untergang des Schiffes verhindert zu haben. Was wäre denn gewesen, wenn niemand das Leck bemerkt hätte? Mister Dashaway hatte selbst gesagt, es hätte aufplatzen können wie ein Furunkel.

Stundenlang versuchten die Piraten die Bilge trockenzulegen und immer noch riss die Kette der Eimer nicht ab. Da ich Käpt'n Crackstone nicht enttäuschen wollte, indem ich der *Blutigen Hand* Gelegenheit gab, sich anzuschleichen, behielt ich die uns umgebende See ständig scharf im Auge.

Der Wind erstarb, doch der Streifen Tageslicht hielt nicht lange an. Nebel begann vorüberzuziehen wie in der Luft schwebende, zerfetzte Lumpen. Wenig später segelten wir direkt in eine dichte Nebelbank. Und immer noch wurde Eimer um Eimer Leckwasser nach oben geschafft und über Bord geschüttet.

Ich dachte, dass der Käpt'n bei diesem Nebel wohl keinen Ausguck benötigte. Aber sollte ich nicht einen Befehl abwarten? Kurze Zeit später konnte ich kaum weiter als eine Schiffslänge in jede Richtung sehen.

Hatte er mich hier oben im Krähennest vergessen? Nach einer Weile löste ich das Seil, das ich um meine Hüften gebunden hatte. Es war Blödsinn, hier oben auf dem Mast zu bleiben.

In dem Augenblick sah ich das Segel aufblitzen.

Ein Schiff kam aus dem Nebel geschossen. Es kam von links auf uns zu. Die bemalte Galionsfigur küsste eine Welle, dann erhob sie sich triefend aus dem Wasser.

Es war die holzgeschnitzte Figur eines Piraten in einem flatternden blauen Mantel. Seine rechte Faust war ausgestreckt, verwundet, blutüberströmt.

Die *Blutige Hand!*

7. Kapitel

Käpt'n Scratch

Im ersten Moment verschlug es mir vor Schreck die Sprache. Unter mir sah ich Enterhaken durch die Luft segeln und sich wie Klauen in unsere Reling schlagen. Gleichzeitig begannen Piraten sich an langen Seilen auf unser Schiff zu schwingen.

Ich riss mir das Sprachrohr vor den Mund.

»Die *Blutige Hand*!«, schrie ich gellend. »Käpt'n! Käpt'n! Sie kapern uns! Die *Blutige Hand!*«

Wie Spinnen ließen sich die Piraten von den Seilen fallen. Kaum jemand war auf Deck, um sich gegen sie zur Wehr zu setzen, nur ein einzelner Matrose mit einem Eimer und der Steuermann hinter seinem Ruder. In Sekundenschnelle hatten die Piraten ihnen ihre Degen an die Kehle gesetzt.

Dann schlugen die Männer der *Blutigen Hand* alle Luken zu und sperrten so die Mannschaft unter Deck. Im selben Moment stürmte Käpt'n Crackstone aus dem Kartenraum.

In der einen Hand ein Entermesser, in der anderen eine blitzende Klinge, warf er sich die Treppe hinunter, mitten hinein in den Pulk der Eindringlinge.

Funken sprühten und erhellten das Zwielicht, Klingen trafen klirrend aufeinander. Er war ihnen weit unterlegen! Mir stockte der Atem. Ich rechnete damit, dass er vor meinen Augen niedergemacht würde, doch er hieb und stach nach allen Seiten um sich und stieß dabei wüste Beleidigungen aus.

»Kakerlakenbrut! Runter von meinem Schiff, ihr fetten, voll gefressenen Sandwürmer!«

Über die an den Enterhaken befestigten Taue wurden die beiden Schiffe jetzt Seite an Seite gezogen. Immer mehr Piraten von der *Blutigen Hand* schwangen sich über die Reling und an Bord der *Lachenden Meerjungfrau.*

Käpt'n Crackstone sah sich zum Rückzug gezwungen. Ein Hieb mit dem Dolch, und einer der Piraten verlor seinen Hut. Im nächsten Moment sah ich, wie der Käpt'n die Rattenseile hinaufkletterte.

Eine Hand in die Taue gekrallt, schwang er weiter das Entermesser gegen seine Verfolger. Doch Sekunden darauf hingen auch die anderen Piraten in den Rattenseilen und trieben ihn nach oben.

Sprosse um Sprosse wich er zurück, langsam kam er dem Krähennest näher. Und Sprosse um Sprosse blieben ihm die Piraten wie Kletten auf den Fersen.

Plötzlich ertönte von Bord der *Blutigen Hand* eine dröhnende Stimme. Sie gehörte einem großen Mann, der mit gespreizten Beinen auf Deck stand, ein krauses Bärenfell über der

Schulter. Sein wild abstehender, feuerroter Bart loderte wie ein Scheiterhaufen.

»Teufel aber auch, wenn das nicht John Stebbins ist! Mein alter Kumpan, der Gentleman unter den Piraten, kämpft mal wieder um sein Leben!«

»Harry Scratch, wo hast du diese jämmerlichen Wassermaden aufgetrieben? Ich habe Fliegen erschlagen, die mich heftiger bedrängten!«

»Für dich reichen sie allemal aus, John. Ich hol mir den Schatz vom Roten Meer. Ich kann ihn riechen!«

»Schatz vom Roten Meer? Seemannsgarn! Wir haben weder Dukaten noch Dublonen an Bord!«

»Dukaten und Dublonen!«, schnaubte Käpt'n Scratch abfällig. »Das sind billige Knöpfe, John! Wie ein Aasgeier bist du über das Schiffswrack und den Schatz des Großmoguls hergefallen! Aye, Diamanten, Rubine und Smaragde, die heller strahlen als das Sonnenlicht! Ergib dich, John!«

»Fahr zur brodelnden Hölle!«, schrie Käpt'n Crackstone zurück.

Die jämmerlichen Wassermaden trieben ihn weiter und weiter auf das Krähennest zu. Ich fand, dass sie gar nicht jämmerlich aussahen. Er musste doch wissen, dass er so dem Tod ins Auge blickte.

Käpt'n Scratch stieß ein lautes Lachen aus. »Hast dich wie eine Spinne in deinem eigenen Netz verfangen, John!«

»Du kannst die *Lachende Meerjungfrau* vom Bugspriet bis zu den Rudern absuchen«, rief Käpt'n Crackstone. »Es gibt hier keine Diamanten!«

»Teufel aber auch, das würde mich mächtig enttäuschen, John! Bis zur letzten Planke werd ich dein Schiff auseinander nehmen – über deine Leiche, wenn es sein muss! Also hör auf mit deinem Dolch herumzufuchteln wie ein schwänzelnder Stechrochen und ich lass dich von Bord. Bei meiner Ehre als Dieb und Mörder schwöre ich, dass ich dich mit dem Leben davonkommen lasse, John. Aye, in ein Beiboot kommst du, und dann Gott mit dir!«

»Und meine Mannschaft? Meine Männer?«

»Du pokerst hoch, John! Aye, keinem deiner Männer wird etwas zustoßen.«

Käpt'n Crackstone schob sein Entermesser klirrend zurück in die Scheide. »Dann lass das Boot zu Wasser, Harry Scratch!«

Der große Pirat schwang sich an Bord und brüllte Befehle. »Hey, Galgenvogel und du, Billy Bombay! Ein Fass Wasser für meinen alten Kameraden und ein oder zwei Rationen Schiffszwieback, wenn ihr welchen auftreiben könnt. Lasst das Boot zu Wasser!«

Es dauerte nicht lange und das Beiboot war zu Wasser gelassen und zum Ablegen bereit. Einer nach dem anderen wurden die Männer der *Lachenden Meerjungfrau* aus der Luke heraus auf das Deck gelassen und entwaffnet.

Ich kletterte aus dem Krähennest und machte

mich auf den Weg nach unten. Ich wollte das Sprachrohr zurückgeben, weil ich wusste, dass es dazu bestimmt war, seinen Weg nach San Diego zu finden. Aber ich hatte nicht die Absicht, Käpt'n Crackstone in diesem kleinen Boot zu begleiten. Ich konnte doch Liz nicht an Bord der *Lachenden Meerjungfrau* zurücklassen. Außerdem würde ich, wenn ich dieses Schiff verließ, nie den Weg zurück in den dreizehnten Stock finden.

Als die Mannschaft der *Lachenden Meerjungfrau* zusammengetrieben war, stellte sich Käpt'n Scratch auf die Lukenklappe, um eine Rede zu halten.

»Hört zu, Leute! Bleibt bei eurem Kapitän oder tretet unserem netten Haufen von Halsabschneidern bei, desgleichen sich kein zweiter unter der Sonne findet! Ihr habt die Wahl!«

Kein einziger Mann schlug sich auf die Seite Käpt'n Crackstones.

»Oho, John!« Käpt'n Scratch gab ein hüstelndes Lachen von sich. »Wenn damit nicht bewiesen ist, dass sich ein Schatz an Bord befindet! Aye! Diese gierige Schweinebande zeigt ihr wahres Gesicht. Nicht dir sind sie treu, John – sondern der Beute vom Roten Meer!«

Mister Dashaway machte, wie ich fand, einen betretenen Eindruck, doch Käpt'n Crackstone schenkte keinem seiner Männer Beachtung. Er verlangte nach der Truhe mit seiner persönlichen Habe und nach seinem Kompass. Käpt'n Scratch sandte den kleinen Mann namens Billy Bombay danach aus, dann wandte er sich einem der Halsabschneider zu, einem Mann, der einen mit Pfauenfedern geschmückten Schlapphut trug.

»Galgenvogel, ich ernenne dich zum Kapitän dieses Schiffes.«

»Bei meiner Seele!«

»Die wird zur Hölle fahren, wenn du dich auch nur einen Zentimeter aus meinem Dunstkreis entfernst! Aber Käpt'n Galgenvogel klingt ein wenig düster. Wie lautet dein Taufname?«

Die Frage schien den Piraten in Verwirrung zu stürzen. Vielleicht hieß er Percy oder Clarence oder hatte sonst einen Namen, der nicht richtig zu einem Freibeuter passte. Schließlich sagte er: »Gib du mir einen neuen Namen, Käpt'n. Einen, der mir Glück bringen soll.«

»Dann taufe ich dich hiermit Kapitän Crackstone, auf dass du mehr Glück haben sollst als dein Vorgänger, der diesen Namen nicht mehr braucht.«

Inzwischen war Billy Bombay mit der Truhe des Käpt'n zurückgekehrt. Ich ließ mich auf Deck gleiten und griff nach meinen Schuhen. Ich wollte dem Käpt'n gerade das Sprachrohr zurückgeben, als ich ihn einige hastige Worte mit Mister Dashaway austauschen sah. Mister Dashaway schlug zustimmend die Augen nieder. Die hecken was aus, dachte ich. Im selben Moment begann der Segelmacher wild mit den Armen zu rudern.

»Lassense den da nur nich bei uns an Bord!«, schrie er. »'n Geist is das! Ein Seeteufel!«

Käpt'n Scratchs Augen blitzten in meine Richtung. »Dass der Himmel uns bei Verstand lasse – ein Seeteufel?«

»Hab's mit eigenen Augen gesehn!«, fuhr der Segelmacher aufgeregt fort. »Hat vergessen an seinen Füßen die Lichter zu löschen, Sir, geglüht ha'm die wie grünes Mondlicht. Aye – ein Geist aus der Tiefe isses!«

Käpt'n Crackstone hatte die Beine schon über die Reling geschwenkt. »Seemannsgarn!«, schnappte er. »Behaltet den Knaben an Bord. Der kann nicht durch Wände laufen. Ist nur ein Junge.«

Käpt'n Scratchs Finger versanken in seinem struppigen Bart. »Mag ja sein, alter Freund. Aber ein Seeteufel an Bord ... Da läuft's mir kalt den Rücken runter! Nimm ihn selber mit, John.«

»Aye, gehen wir kein Risiko ein«, sagte Galgenvogel.

Er zog seinen Degen und drängte mich damit über die Reling. Ich war kaum im Boot gelandet, als der Käpt'n uns auch schon vom Schiffsrumpf abstieß.

Ich hatte das Gefühl, mit offenen Augen zu ertrinken, als ich das Schiff in der Ferne entschwinden sah. Mein Rückweg nach Hause wurde langsam vom Nebel verschluckt, dann verlor sich mein Blick auf die Segel der *Lachenden Meerjungfrau* im Nichts.

8. Kapitel

Ausgesetzt

Die ganze Nacht trieben wir dahin. Käpt'n Crackstone hatte festgestellt, dass sich leider kein Segel an Bord befand und lediglich ein einzelnes, zerbrochenes Ruder. Noch schlimmer war, dass das Wasser im Fass sich als Melasse entpuppte, so dass wir nichts zu trinken hatten.

»Darüber können wir uns morgen Gedanken machen«, sagte der Käpt'n, als ob es sich nicht lohne, über diese Frage Schlaf zu verlieren. Er grub in seiner Seemannstruhe und förderte einen schweren Mantel mit Messingknöpfen und einige andere Kleidungsstücke zu Tage. »Richte dir, so gut du kannst, ein Bett damit her, Stebbins.«

Mit seinem Mantel als Unterlage fiel mir das Einschlafen nicht weiter schwer, und müde genug war ich ja. Dennoch musste ich daran denken, wie die *Lachende Meerjungfrau,* und mit ihr der dreizehnte Stock, davongesegelt war. Liz würde nach Hause zurückkehren können, wann immer sie wollte. Vielleicht hatte sie das sogar schon getan. Vielleicht hatte ich sie deshalb nicht finden können.

Und was wurde aus mir? Falls ich nicht der

See zum Opfer fiele, würde das siebzehnte Jahrhundert mich gefangen halten.

»Aufgewacht, Junge!« Die Dämmerung war angebrochen und Käpt'n Crackstone brauchte den Mantel, auf dem ich schlief.

Schon beim Erwachen hatte ich Durst, aber ich schluckte ein paar Mal und versuchte nicht mehr daran zu denken. Ich schöpfte eine Hand voll Salzwasser aus dem Ozean, um mir damit das Gesicht zu waschen.

»Dass du bloß nichts davon trinkst«, warnte mich der Käpt'n. »Salzwasser macht dich verrückter als ein ganzer Stall voller aufgescheuchter Hühner.«

Die Sonne ploppte wie ein Korken am Horizont empor. Der Käpt'n klappte den Deckel seiner Truhe auf und holte eine Nadel hervor, die aussah wie ein gekrümmter Nagel. Über seine lange Nase hinweg schielend, begann er seine Kleidungsstücke aneinander zu nähen.

Ich musterte ihn lange Zeit und überlegte, ob er Salzwasser getrunken hatte. Er nähte ein weißes Hemd an den unteren Saum des Mantels. Ob wohl die Hühner schon in seinem Kopf herumscharrten?

»Wir werden ein Segel auftakeln«, sagte er, als habe er meine Gedanken gelesen. »Was ist das für ein verzierter Reif an deinem Handgelenk, Stebbins?«

Bevor ich darüber nachdenken konnte, antwortete ich: »Meine Armbanduhr.«

»Ein Glücksbringer, richtig?«

Ich nickte nur und beließ es dabei. Wie hätte ich ihm auch erklären können, dass dieses Ding als Zeitmesser und Stoppuhr funktionierte und außerdem einen eingebauten Taschenrechner besaß? Und dass es keine fünf Dollar im Sonderangebot kostete? Vermutlich würde er nicht einmal wissen, was Dollars waren.

Nach einer Weile zeigte er mir, wie man mit der Nadel umging. Sie war wie eine Katzenkralle geformt; er erklärte, es sei die Nadel eines Segelmachers. Mit groben Stichen nähte ich ein Nachthemd an eine Seite des Mantels. Der Käpt'n benutzte sein Entermesser, um damit das zerbrochene Ruder so zurechtzuschnitzen, dass es in den Stutzen für den Segelmast passte.

»Und«, fragte er, »hast du Hunger?«

Ich nickte und er suchte nach dem Schiffszwieback. Es gab keinen. Das Essen für unsere Reise war vergessen worden. Käpt'n Crackstone stieß einen wüsten Fluch aus, aber er ließ sich von Enttäuschungen nicht lange aufhalten. Im nächsten Augenblick hatte er zwei Tintenfedern aus der Truhe gekramt. Nachdem er deren Enden abgeschnitten hatte, reichte er mir eine davon.

»Trink damit von der Melasse. Aber nur ein bisschen, hörst du? Behalte den Geschmack so lange wie möglich im Mund, Junge. Genieße jeden Tropfen, als wär's ein Stück Hammelkeule! Ich schätze, das Fass ist bestenfalls zu einem Viertel voll. Es muss vorhalten, bis wir die Küste erreichen.«

schlurften wir unser Frühstück durch die
kiele. Ich fühlte mich, als sei ich schon öf-
s ausgesetzt worden, und wüsste genau, wie man das Beste aus dieser Situation macht.

Nur zwei oder drei Minuten später schlug der Käpt'n den Korken wieder ins Fass und ich wusste, dass das bis zum Mittag unsere letzte Mahlzeit gewesen war. Ich hatte immer noch riesigen Hunger.

Ich machte mich wieder an meine Näharbeit, während Käpt'n Crackstone ein paar Bohlen vom Schiffsboden löste. Aus dem Holz zimmerte er Querbalken für den Segelmast zusammen.

Am späten Vormittag konnten wir das Segel an den Querbalken befestigen – er nannte sie Rahnocken – und fast unmittelbar darauf begann das zusammengestoppelte Segel munter im Wind zu knattern. Es bauschte sich auf, nachdem der Käpt'n es an den Ecken befestigt hatte. Mit einem leisen Lachen sprang er zur Ruderpinne am Ende des Bootes. Und schon schossen wir davon!

Er zeigte nach Westen. »Irgendwo da drüben ist Land, Stebbins! Selbst eine blinde Katze könnte es nicht verfehlen. Übernimm das Ruder!«

Auch ich musste lächeln. Jetzt, wo es voranging, hatte ich das Gefühl, als wären wir schon so gut wie gerettet. Und dann fiel mir ein, dass wir *unmöglich* wie die Vogelscheuchen vertrocknen und auf hoher See verloren gehen konnten. Ich kannte das Schicksal des Käpt'n. Er würde überleben und ich mit ihm, weil er eine Verabredung mit dem Henker hatte!

Plötzlich wünschte ich mir, nicht zu wissen, dass ihn der Galgen erwartete. Als ich ein Lächeln um seine blauen, von Fältchen umkränzten Augen spielen sah, erschreckte mich der Gedanke an den Strick des Henkers um seinen Hals so sehr, dass ich den Blick abwandte.

Er zeigte mir, wie man die Pinne bedient, und beschäftigte sich dann damit, seine Kiste auseinander zu nehmen. Nachdem er die besten Stücke Eichenholz ausgewählt hatte, schnitzte er daraus mit seinem Entermesser zwei Ruderblätter.

»Die erste Regel auf See, junger Stebbins, ist, dass der Wind dir nur ein Versprechen gibt: dass er sich ändern wird.«

Und er änderte sich. Am frühen Nachmittag erschlaffte das Segel und fiel in sich zusammen. Wir begannen zu rudern.

»Tut mir übrigens Leid, das mit Ihrem Schatz«, bemerkte ich.

Seine breiten Schultern zuckten gleichgültig. »Befindet sich ein Schatz je wirklich in deinem Besitz?«, sagte er. »Nein, Junge. Man könnte sagen, dass er uns für kurze Zeit geliehen wird. Aye, steck ihn dir in die Taschen, hol ihn wieder heraus, um sein Glitzern und Funkeln zu bewundern. Doch genauso gut könnten wir sagen, uns gehöre die Luft, die wir atmen. Oder hast du je eine Tasche ohne Löcher gesehen, Junge?«

as glauben Sie, wohin Käpt'n Scratch sich n Schatztruhen aufmachen wird?«

eine Augen blitzten voller Verachtung. »Dieser tümpelnde Schwachkopf! Täte mir in der Seele weh, Perlen vor Säue wie ihn geworfen zu sehen! O nein, Harry Scratch wird diese Beute nie zu Gesicht bekommen. Er wird nach Truhen suchen, aber er wird keine Truhen finden. Soll er die Seidenstoffe und türkischen Teppiche behalten! Die Juwelen des Großmoguls werden ihm mitten ins Gesicht lachen und dennoch wird er sie nicht finden.

»Wer ist der Großmogul?«, fragte ich mit inzwischen trockener und rauer Kehle.

»Der König von Indien, könnte man sagen. Ich vermute, dass er die Juwelen selbst gestohlen hat. Gerüchten zufolge klimperten sie nämlich einst in den Taschen des Großen Khan höchstpersönlich. Und wenn es sein muss, werde ich Harry Scratch bis zum Roten Meer zurückverfolgen, damit sie wieder in meinen Taschen klimpern.«

»Sie werden wieder in See stechen?«

»Sobald ich ein passendes Schiff aufgetrieben habe. Ein schnelleres Schiff als die *Lachende Meerjungfrau* dürfte nicht schwer zu finden sein. Durch das Seegras, das an ihrem Rumpf gewachsen ist, macht die *Jungfrau* kaum noch Fahrt.«

»Nehmen Sie mich mit!«, brach es aus mir heraus.

»Dich? Einen kleinen Nervtöter von blindem Passagier?«

»Ich bin Ihnen bestimmt nicht im Weg!«

»Bestimmt nicht, wenn ich dich an der Küste absetze. Aber kannst du auch den Mund halten, ein Geheimnis bewahren, he? Das ist die Frage. Ich sollte dich geradewegs über Bord werfen und ertrinken lassen. Aye, das würde dir den Mund recht ordentlich stopfen, oder?«

»Ordentlich und für immer«, sagte ich. »Aber für Ihr Gewissen wäre es besser, Sie nähmen mich mit.«

»Was für ein Gewissen? Ich bin Pirat!«

»Sie sind ein Gentleman. Das hat sogar Käpt'n Scratch gesagt.«

»Aye. Ein böser Fluch, der mich da getroffen hat.«

»Nehmen Sie mich mit? Und lehren mich die Seefahrt?«

»Ich lehre dich die Klappe zu halten! Kann ich mich, wenn wir erst an Land sind, darauf verlassen, dass du meinen Piratennamen vergisst?«

»Sie sind Kapitän John Stebbins.«

»Nun gut. Wenn du dich wirklich mit der See vertraut machen willst, werde ich dich mitnehmen.«

Ich spürte, wie sich ein erleichtertes, riesiges Lächeln in mein Gesicht schlich. Sollte er doch Schätzen nachjagen. Ich würde den dreizehnten Stock suchen. Einmal an Bord der *Lachenden Meerjungfrau,* wäre ich schneller verschwunden als der Blitz.

Trotzdem würde es mir Leid tun, ihn zu verlassen. Abgesehen von Liz war er der einzige Familienangehörige, mit dem ich reden konnte.

Kurz nach Anbruch der Nacht kam frischer Wind auf, so dass wir endlich unsere Arme ausruhen lassen konnten. Jetzt, wo das Segel sich wieder aufbauschte, schätzte der Käpt'n unsere Geschwindigkeit auf drei oder vier Knoten. Ich war mir nicht sicher, wie viel ein Knoten war, wusste aber, dass es etwa eine Meile pro Stunde bedeuten musste. Er fischte einen Sextanten aus den Überresten seiner Truhe und drückte, nachdem er damit ein paar Berechnungen angestellt hatte, gegen die Ruderpinne. Die Nase des Bootes richtete sich etwas weiter nach Norden aus.

Inzwischen sprachen wir kaum noch ein Wort. Mein Mund fühlte sich an, als hätte ich Watte gegessen, und der Käpt'n musste ebenso ausgetrocknet und durstig sein wie ich.

Mitten in der Nacht weckte er mich auf.

»Stebbins«, sagte er offensichtlich erfreut, »warum machst du nicht den Mund auf und schläfst dann weiter!«

Ein leichter Regen fiel!

Ich sperrte den Mund auf, schluckte und öffnete ihn erneut. In der Dunkelheit versuchte Käpt'n Stebbins Wasser in seiner Hutkrempe aufzufangen. Doch da hatte der Schauer, wie er ihn nannte, sich auch schon wieder verzogen. Ich hatte kaum einen Mund voll getrunken, dennoch war es eine große Erleichterung.

Als am Morgen die Sonne aufging, sagte er, ich solle an unserem verrückten Flickwerk von

Segel saugen. »Da steckt eine gute Ration Wasser in den Säumen«, sagte er und löste die Ruderpinne.

Das Segel war angenehm feucht. Er nahm an der einen Seite des Masts Platz, ich auf der anderen, und beide nuckelten wir an den Säumen seiner alten Hemden, bevor die Sonne Gelegenheit hatte, sie zu trocknen.

Am späten Nachmittag tauchte ein Schmetterling, den es aufs Meer geweht hatte, über dem Wasser auf.

»Sind wir so nah an Land?«, platzte es aus mir heraus.

»Würde mich nicht wundern«, sagte er.

Am nächsten Morgen liefen wir geradewegs in den Hafen von Boston ein.

9. Kapitel

Nehmen Sie diesen Mann fest!

Es hatte den Anschein, als lägen mehr Schiffe im Hafen vor Anker als Häuser an der Küste standen. Käpt'n Crackstone stand breitschultrig im Bug des Bootes und betrachtete die Stadt.

»Teufel aber auch!«, sagte er. »Wie Boston in nur zwei Jahren gewachsen ist! Sollte mich nicht wundern, wenn es sieben- oder achttausend Seelen zählte.«

Im frühen Morgenlicht erschien alles scharfkonturig und klar, nur über der Stadt lag ein dunkler Wolkenstreifen. Er behauptete, das seien lediglich Tauben. Und jetzt, an der Einfahrt in den Hafen, hatten wir gegen eine widerspenstige See zu kämpfen. »Der Wind stemmt sich gegen den Tidenhub«, erklärte der Käpt'n. Es schien ihm Spaß zu machen, meinen Kopf mit dem Wissen zu füllen, dass ich für ein Leben auf hoher See benötigte.

Während wir uns an den verstreuten kleinen Inseln vorbeimanövrierten, erregte unser Flickensegel allgemeines Aufsehen. Von den umliegenden Schiffen starrten uns die Männer an und fragten sich wahrscheinlich, was für seltsames Treibholz dort vom Meer an Land gespült wurde. Ich erkannte die leuchtende Flagge Englands, die überall im Hafen und über einem Fort an Land flatterte.

Keine Frage, dass wir wie Schiffbrüchige aussahen, denn als wir anlegten, hatte sich bereits eine kleine Menschenmenge am Kai versammelt. Die meisten Leute trugen schwarze Kleidung mit gestärkten weißen Kragen und Strohhüte, wie man sie zum Erntedankfest trug. Pilgrims!, dachte ich. Ich kannte die Gründerväter Amerikas aus meinem Geschichtsbuch. Jetzt sah ich sie vor mir. Das waren also waschechte, lebendige, atmende Puritaner! Es hätte mich nicht überrascht, plötzlich jemanden mit einem Truthahn unter dem Arm zu sehen.

»Bei Gott dem Allmächtigen!«, rief Käpt'n Crackstone. »Da ist meine geliebte Frau Mercy! Es ist meine Mercy!«

Eine schlanke Frau mit weißem Häubchen versuchte sich einen Weg durch die Menge zu bahnen. Plötzlich weiteten sich ihre Augen und begannen zu leuchten und sie rief: »Mein geliebter Gatte!«

Der Käpt'n stürmte die Treppen des Piers hinauf. Sie fielen einander in die Arme und gaben sich einen weithin vernehmbaren Kuss.

Die versammelten Menschen schienen in purem Entsetzen den Atem anzuhalten und verstummten. Das Lächeln verschwand von den Gesichtern, Kinnladen klappten herunter. Irgendetwas war passiert, aber was? Ein riesiger

Taubenschwarm verdunkelte die Sonne und warf flatternde Schatten auf den Pier.

Und dann sah ich ihn, einen dünnen Mann in einem langen schwarzen Mantel, mit Schnallenschuhen an den Füßen. Mit ausgestrecktem Zeigefinger hob er den Arm wie einen Signalpfosten in die Höhe. »Konstabler!«, röhrte er. »Nehmen Sie diesen Mann fest!«

Mein Herz überschlug sich. Ich dachte, er hatte in John Stebbins den Piraten erkannt. Vielleicht war doch ein Preis auf den Kopf von John Crackstone ausgesetzt.

Das Gesicht des Käpt'n lief neonrot an. Er schien den Mann in Schwarz wiederzuerkennen. »Mich festnehmen? Warum, Sir? Weshalb, Richter?«

»Weil Sie den Sabbat geschändet haben! Jedermann hier am Pier kann das bezeugen.«

»Wovon reden Sie überhaupt?«

»Haben Sie etwa nicht Ihr Eheweib an einem *Sonntag* geküsst, Kapitän Stebbins?«

»Nach zwei Jahren auf See? Und ob ich da mein Weib geküsst habe!«

»Sie kennen die Gesetze von Massachusetts, Käpt'n!«

»Sie erwarten von mir, dass ich weiß, welchen Wochentag wir heute haben? Nachdem ich schiffbrüchig war?«

»Gesetz ist Gesetz, Sir. Sie werden vor Gericht gestellt und bestraft werden.«

Das war der Moment, in dem Mrs Stebbins das Kinn hob und sagte: »Dann bestrafen Sie auch mich, Richter Rattle. Oder ist Ihnen entgangen, dass ich meinen Gatten ebenfalls geküsst habe?«

Der Mann hob noch einmal die Hand mit den ausgestreckten Fingern. »Konstabler, nehmen Sie beide fest!«, befahl er. »Ich werde sie morgen früh aburteilen, noch vor dem Hexenprozess.«

Der Käpt'n wollte nach seinem Entermesser greifen, doch Mrs Stebbins hielt ihn zurück. Zwei Männer in scharlachroten Mänteln tauchten neben ihm auf und packten ihn bei den Armen.

Richter Rattle scheuchte die Menge auseinander. »Was steht ihr hier herum? Aus dem Weg!«

Ich folgte Käpt'n Stebbins und seiner Frau, die in eine schmale Straße namens Prison Lane geführt wurden. Unterwegs zog ich einige neugierige Blicke auf mich. Mit meinen Jeans und den Tennisschuhen musste ich den Leuten wie ein Außerirdischer vorkommen. Alle Männer, die ich sah, trugen Kniebundhosen und weite Kniestrümpfe und die Jungen waren genauso gekleidet. Ich hatte das Gefühl, die einzige lange Hose in ganz Neuengland zu tragen; vielleicht waren sie noch nicht erfunden worden.

»Und Tobias«, fragte der Käpt'n, »wo ist mein kleiner Sohn?«

Mrs Stebbins warf ihm ein Lächeln zu. »Klein? Er wächst schnell heran, John. Auf See ist er, als Schiffsjunge an Bord der *Salem Trader.* Sollte mich nicht wundern, wenn er als Admiral heimkehrte.«

Tobias musste den Käpt'n an mich erinnert haben, denn im nächsten Moment stellte er mich seiner Frau vor.

»Stebbins?«, fragte sie. »Bist du ein Verwandter?«

Ich gab keine Antwort.

Das Fesselhaus, wie das Gefängnis genannt wurde, war ein schlecht beleuchtetes, zugiges Gebäude. Es hätte mich nicht überrascht, wenn Käpt'n Stebbins die Wachen abgeschüttelt hätte und geflüchtet wäre. Nur würde er sicher nicht seine Frau allein zurücklassen wollen.

»Junger Stebbins«, sagte er, als er zu den anderen Gefangenen gesperrt wurde, »unsere Verfolgung der *Lachenden Meerjungfrau* werden wir eine Weile aufschieben müssen. Du gehst zu den Gebrüdern Silvernail, das sind Schiffsagenten unten am Pier, im *Blauen Krebs.* Sag ihnen, sie sollen sofort hierher kommen!«

Als Mrs Stebbins von ihm getrennt und bei den Frauen eingesperrt wurde, wandte sie sich mir zu. »Anschließend begibst du dich zu unserem Haus, Schiffsjunge, und besorgst dem Käpt'n ein kräftiges Mahl! Hätte ich nur von seiner Ankunft gewusst! Du findest dort Apfelwein, Pfefferkuchen, Bärenwurst und Kürbis, den ich gestern eingekocht habe. Und lang selbst auch ordentlich zu, junger Stebbins!«

»Jawohl, Madam«, sagte ich. Ich war so hungrig, dass ich einen ganzen Bären gegessen hätte, mit Fell und allem Drum und Dran. Sie nannte mir die Adresse und ich fragte nach dem Schlüssel.

»Kommst du gerade erst aus dem gottlosen London, Junge? In ganz Neuengland wirst du kaum eine abgeschlossene Tür vorfinden. Und jetzt spute dich.«

Der *Blaue Krebs* schien verlassen zu sein. Ich musste an alle Fenster klopfen, bis endlich einer der Gebrüder Silvernail aufwachte. Sein ergrauendes Haar hatte er zu einem kurzen Zopf zusammengeflochten und mit etwas verklebt, das wie Teer aussah. Es gab ihm den Anstrich eines gealterten Seemanns, der es an Land zu Wohlstand gebracht hatte, die alten Zeiten aber nicht vergessen wollte.

Er blinzelte mich schläfrig an und gab sich gut gelaunt. »Nett von dir, Junge, dass du dir die Mühe machst, mich zu wecken«, sagte er. »Ja, ja, sonst hätte ich womöglich den ganzen lieben Tag verschlafen und drei oder vier dieser wunderbaren Predigten im Gemeindehaus verpasst. Kann deine dringende Angelegenheit nicht bis morgen warten?«

»Kann sie nicht«, sagte ich und teilte ihm mit, was Käpt'n Stebbins mir aufgetragen hatte.

Das machte ihn vollends wach. »Oho!«, rief er. »John ist wieder an Land? Und steckt im Gefängnis? Bin schon so gut wie unterwegs!«

Er verschwand hinter dem Fenster und ich machte mich wieder auf den Weg.

Ich verirrte mich in den engen Straßen, fand dann aber doch das Haus der Stebbins, das auf der sonnenbeschienenen Seite eines Hügels lag. Eine Frau stand vor der Tür und pochte dagegen. Sie trug ein graues, bis zum Boden reichendes Kleid und ein weißes Häubchen.

»Ist jemand zu Hause?«, rief sie.

Diese Stimme hätte ich überall erkannt. Die Frau musste sich nicht einmal umdrehen und mich ansehen. Es war die erste amerikanische Stimme, die mir zu Ohren kam, seit ich in den dreizehnten Stock ausgestiegen war.

Die Frau, die dort an die Tür klopfte, war Liz.

10. Kapitel

Die Scheune

»Buddy!«, schrie Liz mit einer Stimme, die gleich um mehrere Oktaven höher gerutscht war. Sie umarmte mich, bis ich fast erstickte. »Was machst du denn hier?«

Und ich rief im selben Moment, indem ich sie gleichfalls umarmte: »Liz! Bin ich froh dich zu sehen!« Wenigstens gab sie mir keinen Kuss, sonst wären wir womöglich verhaftet worden. »Wo hattest du dich versteckt? Wie bist du vom Schiff runtergekommen?«

»Von welchem Schiff?«

»Der *Lachenden Meerjungfrau.* Wie um alles in der Welt bist du hierher gekommen?«

»Wovon redest du eigentlich?«, rief sie.

»Ich rede vom dreizehnten Stock«, gab ich zurück.

»Aber wenn du mir gefolgt bist, hättest du in der Scheune ankommen müssen«, sagte sie. »Warum hast du nicht nach mir gerufen?«

Ich verdrehte die Augen, bis ich schielte. »Welche Scheune?«

»Du weißt ganz genau, welche Scheune, Buddy. Die in Northampton.«

Jetzt stellte ich meine Augen wieder gerade. »Als du in den dreizehnten Stock hinausgetreten bist, bist du in einer Scheune rausgekommen?«

»Natürlich. Mit Wollballen drin und Fässern voller Apfelwein.«

Plötzlich war ich so erleichtert, dass ich in lautes Lachen ausbrach. Was spielte es jetzt noch für eine Rolle, wenn ich die *Lachende Meerjungfrau* nie wieder sehen würde? Liz hatte einen anderen Weg zurück nach San Diego und nach Hause entdeckt.

»Wem gehört die Scheune?«, fragte ich.

»Abigail Parsons.«

»Die Stimme vom Anrufbeantworter? Die Frau mit dem türkischen Schal?«

»Eine Frau kann man sie kaum nennen«, sagte Liz. »Abigail ist gerade mal zehn Jahre alt.«

»Wo ist sie?«

Liz wedelte mit dem linken Arm. »Hält sich in dem Wald da drüben versteckt.«

»Versteckt vor was?«

»Vor dem Sheriff. Gegen meinen Rat als Anwältin. Morgen soll sie vor Gericht erscheinen.«

»Zehn Jahre«, murmelte ich. »Was hat sie angestellt? Hat sie bei Rot die Straße überquert?«

Liz holte tief Luft. »Sie ist wegen Hexerei angeklagt.«

Das trieb mir das Lächeln aus dem Gesicht. »Du meinst, wie dieses Hexenzeugs in Salem, wegen dem so viele Leute abgekratzt sind? Das in meinem Geschichtsbuch steht?«

»Salem hat noch gar nicht stattgefunden.«

»Wirst du sie vertreten?«, fragte ich.

»Selbstverständlich.«

»Selbstverständlich.« Ich wusste, dass Liz sich um nichts in der Welt einen Hexenprozess entgehen lassen würde. Und aus dieser Scheune in Northampton, wo auch immer das lag, konnten wir jederzeit zurück nach Hause springen. Über die *Lachende Meerjungfrau* musste ich mir also keine Gedanken mehr machen.

»Aber zunächst muss ich Abigail davon überzeugen, sich zu stellen.«

»Hat sie keine Verwandten?«

»Ihr Vater ist nach England gereist und hat sie der Obhut einer Gouvernante überlassen. Die hat sich aber sofort aus dem Staub gemacht, nachdem Abigail als Hexe denunziert wurde. War zu Tode geängstigt.«

»Ist Zauberei ansteckend oder so was?«

»Zauberei nicht«, sagte sie. »Aber Hysterie.«

»In diesen Klamotten siehst du aber nicht wie eine Anwältin aus, Liz. Hast du dich schon mal im Spiegel gesehen? Du siehst aus, als wolltest du Kühe melken.«

»Na ja, Neuengland ist auf Miniröcke nicht eingestellt. Dieses Kleid und die Schürze hat die Gouvernante zurückgelassen. Abigail meinte, wenn ich in meinen richtigen Sachen aufträte, würde man mich sofort verhaften.« Liz begann wieder gegen die Tür zu klopfen.

»Das hat keinen Zweck, Liz. Es ist niemand zu Hause. Was machst du eigentlich hier bei den Stebbins?«

»Sie sind Abigails Pateneltern. Ich dachte,

dass sie Abigail vielleicht dazu überreden könnten, sich zu stellen. Aber was machst *du* überhaupt hier?«

Ich erzählte ihr, wie ich mich an Bord eines Piratenschiffes wiedergefunden hatte, von dem Schatz und davon, wie ich mit Käpt'n Stebbins auf hoher See ausgesetzt worden war.

»Und dann wurde er verhaftet, weil er seine Frau an einem Sonntag geküsst hat!«

Mit einem kleinen Lächeln zuckte Liz die Achseln, als kenne sie jede Menge solcher abgedrehter Gesetze.

Ich drückte die Tür auf und trat in das dämmerige Haus. »Mrs Stebbins hat mich losgeschickt, um ihrem Mann etwas zu essen zu holen. Vielleicht kriegt man hier im Gefängnis nichts Anständiges.«

»Knastfraß ist Knastfraß.«

»Aber er ist am Verhungern! Genau wie ich!« Im Licht, das durch die rautenförmigen Fenster fiel, sah ich mich in der Küche um, entdeckte einen Pfefferkuchen und stopfte ihn mir in den Mund. Dann fand ich etwas Apfelwein und einen Becher, der aus schwarzem Leder gefertigt zu sein schien.

»Und wenn du Abigail nicht freikriegst?«, fragte ich.

»Dann wird sie wahrscheinlich gehängt.«

»Gehängt? Aber was wird dann aus uns?«

»Darüber mache ich mir im Moment keine Sorgen.«

»Ich meine, Abigail muss doch erwachsen

werden, heiraten und Kinder kriegen und so, damit wir ihre Nachkommen werden können. Was wird aus uns werden ohne Abigail?«

»Vielleicht lösen wir uns in Luft auf.«

»Ich meine es ernst, Liz«, sagte ich.

»Keine Panik, Buddyschatz. Ich pauke sie schon frei.«

»Es gibt einen anderen Weg«, sagte ich. »Wir nehmen sie mit uns in den dreizehnten Stock.«

Leicht verblüfft blinzelte Liz mich an. »Wovon redest du?«

»Wir gehen zu dieser Scheune und dann, zack, sind wir alle drei in San Diego und sie ist frei.«

In Liz' Gesicht trat ein seltsamer Ausdruck. »Das wird nicht klappen.«

»Klar wird es das.«

»Buddy, es gibt einen Grund dafür, dass du auf einem Boot und nicht in der Scheune gelandet bist.«

»Ich glaube, sie nannten es ein Schiff.«

»Du hättest mir gar nicht in die Scheune folgen können.«

»Warum nicht?«

»Wegen dieser Hexengeschichte. Ich war gerade in Northampton angekommen, als auch schon jemand die Scheune abfackelte. Sie ging wie ein Heuhaufen in Flammen auf und ist völlig ausgebrannt.«

Ich brachte nur ein »Oh!« heraus.

»Ich dachte schon, ich würde ewig in diesem Kleid und dem dämlichen Häubchen herumlaufen müssen, Buddy. Ich bin so froh, dass du einen anderen Weg nach Hause kennst.«

»Käpt'n Stebbins muss lediglich die *Lachende Meerjungfrau* finden«, sagte ich. »Wie groß ist der Atlantik, Schwesterherz?«

11. Kapitel

Das Mädchen auf dem Baum

Ich schleppte den mit Speisen gefüllten Korb zum nahe gelegenen Wald, der eine Art quadratischen Platz umschloss, auf dem ein paar Kühe grasten. Liz sagte, man nenne diesen Platz Dorfanger, und dass Abigail sich in einem der Bäume versteckt halten müsse.

»Ich kann keine Zeit damit verplempern, nach ihr zu suchen«, sagte ich.

»Abigail? Abigail!«, rief Liz.

»Ich bin bald zurück.«

Liz legte beide Hände an den Mund. »Abigail, das ist mein Bruder, Bud. Ich hab dir doch von ihm erzählt.«

In einem Ahornbaum raschelten ein paar Zweige. Ein schmales, totenbleiches Gesicht lugte zu mir herab.

»Hergehört!«, rief ich.

»Warum weckst du nicht gleich ganz Boston auf?«, schoss Abigail zurück.

»Ist doch niemand hier, außer uns und den Kühen«, sagte ich.

»Natürlich nicht! Würde mich nicht wundern, wenn die sich alle schon auf dem Galgenhügel versammelt haben, um mich zappeln zu sehen.«

»Das ist völliger Unsinn«, rief Liz mit fester Stimme.

»Ich laufe davon, zur See. Käpt'n Stebbins wird mir helfen.«

»Kapitän Stebbins steckt im Gefängnis«, sagte ich.

»Im Gefängnis?« Plötzlich hatte ihre Stimme einen weinerlichen Unterton. Wahrscheinlich würde sie gleich in Tränen ausbrechen. »Dann bin ich verloren!«

»Bleib cool«, sagte ich.

»Bleib was?«

»Bleib locker, Abigail. Ich meine, beruhige dich. Wenn ich dem Käpt'n sage, dass du hier bist, wird er sich schon etwas einfallen lassen. Ich bin so schnell zurück, wie ich kann.«

Ich war kaum losgelaufen, als ich sie hinter mir herschreien hörte. »Nicht rennen! Weißt du nicht, dass es gegen das Gesetz ist, sonntags zu rennen? Man wird dich dafür festnehmen! Springen und Hüpfen ist auch verboten!«

Ich ging mit schnellen Schritten. Als ich am Fesselhaus ankam, fand ich Käpt'n Stebbins in ein flüsterndes Gespräch mit dem Silvernail-Bruder vertieft, dessen Haare geteert waren. Ohne seine murmelnde Unterhaltung zu unterbrechen, als sei ich nicht mehr als ein Schiffsjunge, streckte der Käpt'n eine Hand nach dem Korb mit dem Essen aus und beachtete mich nicht weiter. Ich ging den Gang hinunter zu Mrs Stebbins, die sich so unbesorgt und gut gelaunt gab, als sitze sie zu Hause in ihrem Wohnzimmer.

»Abigail der Hexerei bezichtigt!«, rief sie aus, als ich ihr die Neuigkeit mitteilte. »Was für ein bösartiger Unsinn ist das denn? Selbstverständlich muss sie sich verteidigen! Ich bin sicher, dass der Käpt'n mir zustimmen wird. Du musst das arme Ding dazu überreden, von ihrem Baum herunterzukommen. Sag ihr, sie soll die Nacht in unserem Haus verbringen. Es sind genug Betten für alle da, auch für dich, junger Stebbins.«

Auf dem Weg nach draußen sah ich, dass der Silvernail-Bruder gegangen war. Käpt'n Stebbins streckte eine Hand durch das Gitter und zog mich zu sich heran.

»Morgen ist es soweit, Junge«, flüsterte er mir ins Ohr. »Halte dich in der Nähe auf. Ich schnappe mir ein schnelles Schiff und wir segeln auf und davon! Aye, wie Bluthunde des Meeres werden wir die *Lachende Meerjungfrau* verfolgen!«

»Jawohl, Sir«, sagte ich. Ich hatte keine Ahnung, wie er auf hoher See ein Schiff verfolgen wollte, dessen Spur sich längst verloren hatte. Aber ich wollte glauben, dass er es konnte, weil Liz und ich sonst aufgeschmissen wären.

Seine Finger krallten sich wütend um die Gitterstäbe, als ich ihm von Abigail berichtete. »Und ob sie sich gegen diese Anschuldigung zur Wehr setzen muss!«

Als ich auf dem Dorfanger ankam, tranken die Kühe aus dem Teich. Abigail steckte immer noch oben im Ahornbaum.

»Ich soll mich gegen die Anschuldigungen zur Wehr setzen?«, sagte sie, nachdem ich ihr von meiner Unterhaltung erzählt hatte. »Das hat der Käpt'n gesagt? Und die Patin Stebbins auch?«

»Das waren ihre Worte.«

»Aber sie werden mich dafür einsperren, dass ich vor dem Sheriff davongelaufen bin. Sobald sie mich in die Finger kriegen.«

Liz sagte: »Dann werden wir uns also morgen dem Gericht stellen. Unmittelbar vor der Verhandlung.«

»Ich bin unschuldig!«, protestierte Abigail. »In meinem ganzen Leben bin ich noch nicht auf einem Besen geritten!«

»Ganz bestimmt nicht«, sagte Liz.

»Vielleicht werden die Richter mir glauben.«

Sie begann vom Baum herunterzuklettern und ich dachte an den Richter, der Käpt'n Stebbins und seine Frau ins Gefängnis gesteckt hatte. Abigail glauben? Würde mich nicht wundern, wenn er noch glaubte, dass die Erde eine Scheibe war.

Den Abend verbrachten wir, um eine dicke gelbe Kerze geschart, in der Küche der Stebbins. Liz schmiedete Pläne für Abigails Verteidigung. »Du sagst, auch deine Großmutter sei als Hexe denunziert worden? Von einem rachsüchtigen Nachbarn?«

»Sie wurde für unschuldig erklärt, mein altes Ömchen«, antwortete Abigail trotzig. »Trotzdem war ihr guter Ruf dahin. Die Leute sagten, die Hexerei liege bei den Parsons in der Familie. Und ich bin eine Parsons.«

»Als Gerüchte über eine Hexe in Northampton aufkamen, verdächtigten die Leute also sofort dich.«

»Ja.« Und dann fragte sie: »Woher, sagtest du, kommt ihr?«

»Von weit her«, antwortete Liz. »Das erkläre ich dir später genauer.«

»Aber ich habe doch nur in meinen Träumen nach jemandem gerufen. Wie konntest du mich hören?«

»Irgendwie eben.«

»Und was ist ein türkischer Schal?«, fragte ich.

»Ein Schal aus der Türkei natürlich, Dummkopf! Der Käpt'n hat ihn mir von einer seiner Reisen mitgebracht. Und einen türkischen Teppich hat er mir auch versprochen.«

Abigail rollte sich in einer Ecke zusammen. Kurz darauf war sie eingeschlafen, mit offenem Mund.

»Schwer vorstellbar«, sagte ich, »dass sie unsere Ur-ur-ur ... also, unsere Ur-hoch-fünf-oder-so-Großmutter ist.«

»Sie ist ein Schätzchen. Aber sie ist auch ganz schön dreist. Ich hoffe, sie reißt sich vor Gericht zusammen und nennt ihre Nachbarn nicht Schwachköpfe und Schweinebacken.«

»Aber wenn sie doch welche sind? Wie kann man überhaupt eine Gerichtsverhandlung abhalten, wenn die Angeklagte gar nicht da ist?«

»Sie werden sie trotzdem verurteilen.«

»Du meinst Verurteilung in Abwesenheit?«

Liz hielt inne und sah mich an. »Kann es sein, dass du in meinen Büchern herumgeschnuppert hast?«

»Nee. Aber du hast monatelang beim Abendessen von so was geredet. Ich könnte selber Anwalt werden.«

Sie lächelte und zuckte die Achseln. »Ja, in Abwesenheit. Nach allem, was Abigail mir erzählt hat, war den Leuten in Northampton ein Hexenprozess zu heiß. Der Richter ist der örtliche Maurer. Er hat den Fall nach Boston abgegeben an ein Sondergericht. Das tritt heute zusammen. Die Zeugen sind schon in der Stadt, die ganze Sache wird eine Menge Staub aufwirbeln.« Dann sagte sie: »Wie ich sehe, hast du deine Schulsachen mitgebracht.«

»Liz, ich hab schließlich nicht erwartet, zwanzig Minuten nach der *Mayflower* in Amerika anzukommen und deshalb meinen Unterricht zu versäumen.«

»Welche Bücher hast du dabei?«

»Mathe. Spanisch.«

»Amerikanische Geschichte?«

Ich kramte im Rucksack. »Ich glaube nicht, dass da etwas über Abigail drin steht.«

»Aber über die Hexenprozesse von Salem. Hoffentlich wird Abigail nicht Opfer der allgemeinen Hysterie. Seinerzeit henkten die Richter harmlose Pilgrims – hauptsächlich gebrechliche alte Frauen. Salem liegt ungefähr zwanzig Meilen von hier und Aberglaube ist so ansteckend wie Schnupfen. Kannst du dich an das Jahr erinnern?«

»Die einzigen Daten, an die ich mich erinnere, sind 1492 und mein Geburtstag.«

Sie las rasch ein paar Seiten und sah auf. »Dann steht ab heute auch 1692 auf deiner Liste, Buddy. Das ist jetzt. Und schau ... In einer Woche werden die Richter ihre erste Hexe aufhängen, an einer Eiche – eine unschuldige alte Dame namens Bridget Bishop. Damit wird Salem in die Geschichtsbücher eingehen.

»Aber sie würden doch kein Kind hängen, oder?«

Mit einem kleinen Achselzucken sah Liz hinüber zu Abigail. »Die Anschuldigungen sind lächerlich. Ich sollte auf geistige Unzurechnungsfähigkeit plädieren.«

»Hältst du Abigail für verrückt?«

»Nicht sie. Ihre Nachbarn.«

12. Kapitel

P steht für Pranger

Mitten in der Nacht begann jemand draußen auf der Straße eine Trommel zu rühren. Ich wälzte mich herum und versuchte weiterzuschlafen, als ich hörte, wie Abigail aufstand und in der Küche herumkramte. Sie begann einen Feuerstein zu schlagen, um den Ofen zu entzünden. Während die Flammen züngelten und zischten, wurde mir bewusst, dass ich nur halb so schlau war, wie ich dachte. Ich wusste vielleicht, wie man mit einem Taschenrechner umging. Aber nie zuvor hatte ich einen Feuerstein benutzt. Wenn ich ein Feuer machen wollte, brauchte ich dafür Streichhölzer.

»Könntest du ein bisschen leiser sein da draußen?«, rief ich.

»Leiser? Warum?«, rief Abigail zurück. »Hast du den Nachtwächter nicht gehört? Es ist halb fünf.«

»Du meinst, die Stadt lässt alle Leute wecken?«

»Natürlich. Sonntag ist vorbei, heute ist Montag und es gibt jede Menge Arbeit. Holst du uns etwas Wasser von draußen?«

»Weißt du nicht, wie man einen Wasserhahn aufdreht?«

Inzwischen war auch Liz erwacht. »Wasserhahn?«, sagte sie. »Was um alles in der Welt ist ein Wasserhahn, Buddy? Wahrscheinlich wirst du für Wasser nach einer Pumpe suchen müssen.«

»Die ist draußen«, sagte Abigail.

Unsere millionenfache, dreihundert Jahre alte Urgroßmutter kochte einen riesigen Topf Haferflockensuppe über dem Feuer. Wir waren wirklich im siebzehnten Jahrhundert gestrandet – und wenn schon! Wenigstens hatten wir dort nette Verwandte.

Als ich mich anschickte zum Gefängnis zu gehen, nahm Abigail die Haferflockensuppe mit einem Topflappen vom Feuer. »Ich komme mit«, sagte sie.

Sie wickelte sich einen dicken Schal über Nase und Mund, um nicht erkannt zu werden, und setzte ihr Häubchen auf. »Ich will die Patin und den Käpt'n sehen, bevor sie mich in Ketten auf einem Karren davonfahren«, sagte sie.

»Niemand wird das tun«, versicherte ihr Liz. »Buddy, versuche herauszufinden, wann der Prozess beginnt. Ich muss mir noch ein paar Notizen machen.«

Als wir beim Fesselhaus ankamen, nachdem wir abwechselnd den Topf mit den Haferflocken geschleppt hatten, waren Käpt'n Stebbins und seine Frau bereits ins Rathaus gebracht und Richter Rattle zur Verurteilung vorgeführt worden. Er musste schon im Morgengrauen damit begonnen haben, Strafen zu verteilen.

Wir eilten zum Rathaus, einem großen, aus Holz gefertigten Gebäude, das an einer Straßenecke stand. Es war drei Stockwerke hoch, Säulen stützten die oberen Etagen, in denen das Gericht tagte. Das Treppensteigen konnten wir uns ersparen. Käpt'n Stebbins und seine Frau befanden sich draußen, gut sichtbar für jeden.

Es sah aus, als wären ihre Köpfe und Hände durch ein rohes Brett gesteckt worden. Sie standen am Pranger! Ihre Strafe war, öffentlich zur Schau gestellt zu sein, als Warnung für jedermann, sonntags niemanden zu küssen.

Ich fand die so genannten guten alten Zeiten ziemlich seltsam und verkorkst. Eine kurze Stippvisite war okay, aber ich würde hoffentlich nicht für immer hier leben müssen.

Ich wandte die Augen von Käpt'n Stebbins ab. Ich wollte nicht, dass er sah, wie ich ihn anstarrte, während er öffentlich gedemütigt wurde. Doch Abigail stürmte auf ihn zu und brach in Tränen aus.

»Ich bin's, Abigail«, flüsterte sie durch ihren Schal. »Was haben sie euch bloß angetan?«

Mrs Stebbins gab ein kleines Lachen von sich. »Eine Nichtigkeit, mein Kind! Zwei Stunden am Pranger? Das wiegt nicht mehr als ein Flohstich gegen die Freude, meinen Mann gesund und munter von seinen Reisen zurückgekehrt zu sehen.« Sie bewegte alle Finger, konnte sie aber nicht aus den Löchern im Brett befreien. »Würdest du mich mal an der Nase kratzen?«

»Und verscheuch diese pestverseuchten Fliegen!«, bollerte Käpt'n Stebbins.

Wenig später fütterte Abigail die beiden mit einem Löffel. Ich rannte die hölzernen Treppen zum Gerichtssaal hinauf, um nachzusehen, um wie viel Uhr der Hexenprozess beginnen würde.

Der Raum war bereits voller Leute und dort saß Richter Rattle und hämmerte mit einem Holzhammer Gerechtigkeit in die Welt, als schlage er Nägel in ein Brett.

»Mrs Marshfield, des Verbreitens von Klatsch und Tratsch für schuldig befunden. Sie werden für die Dauer eines halben Jahres das *K* tragen. Kein *Klatsch* mehr!«

Erneut sauste sein Hammer nieder. »Schon wieder betrunken, Mister Tarbox? Das *T* für Sie! Passen Sie auf, dass ich Ihnen nicht das *S* umhänge, Sie Schurke!«

Päng!

»Für Sie das *P*, Mrs Fitts, und keine *Pöbeleien* mehr!«

Ich war froh mich aus dem Staub machen zu können. Ich hatte kein Wort dieser Buchstabensuppe verstanden. Erst als ich am Pranger ankam, wo ich Mister Silvernail und einen beleidigt dreinblickenden Mann mit Käpt'n Stebbins flüstern sah, dämmerte es mir. Der Mann trug eine Art weißen Latz um den Hals, auf dem groß und schwarz der Buchstabe *S* stand. *S* für *Schurke,* erinnerte ich mich.

Käpt'n Stebbins schien das allerdings nichts auszumachen. »Es reicht, wenn Sie Backbord und Steuerbord auseinander halten können, Mister Mawkins«, sagte er. »Setzen Sie ihn auf die Liste, Silvernail.«

Der Käpt'n stellte also schon, während er dort am Pranger stand, eine Mannschaft zusammen.

Als kurz darauf Liz mit einem Stapel Notizen unter dem Arm auftauchte, stellte ich die beiden einander vor.

»Eine Rechtsgelehrte?«, stieß Käpt'n Stebbins erstaunt aus. »Bei Gott, bis nach London müsste man segeln, um ein solches Wunder zu sehen! In ganz Neuengland gibt es niemanden, der das Recht kennt!«

Liz war entsetzt. »Aber die Richter haben doch sicher eine Universität besucht!«

»Und nichts als Unwissenheit von dem Besuch mitgebracht, Miss. Teufel auch, ich bezweifle, dass auch nur einer von ihnen je ein Gesetzbuch von vorn bis hinten durchgelesen hat.«

Liz sagte nichts, aber ich schätzte, dass sie nicht mehr sicher war, wie man das Recht vor Männern vertrat, die davon so viel oder so wenig Ahnung hatten wie ich.

»Der Prozess beginnt um halb neun«, sagte ich. »Das ist in etwa zwanzig Minuten. Bist du immer noch sicher, dass Abigail sich stellen sollte?«

Liz hob das Kinn. »Todsicher. Also los,

Kinder! Ich hab noch nie einen Prozess verloren.«

Das stimmte. Aber ich verkniff mir zu sagen, dass Liz bis jetzt auch noch nicht viele Gelegenheiten dazu gehabt hatte.

13. Kapitel

Fingerzeige

Päng! knallte der Hammer des Richters nieder, dass die Tauben auf den Fenstersimsen davonstoben. Der Hexenprozess begann.

Ein kleiner Mann mit einer Nase wie eine Cocktailtomate drehte eine Sanduhr um. Er stippte einen Federkiel in sein Tintenfass, bereit, jedes Wort, das geäußert wurde, zu Papier zu bringen.

Richter Rattle wurde jetzt von zwei zusätzlichen Richtern flankiert. Einer der beiden war ein schläfriger, zerknitterter Mann mit einem breiten, bulligen Gesicht, der andere ein zappeliges Skelett mit Augen von der Rastlosigkeit einer Stubenfliege. Alle drei trugen sie gelb gelockte Perücken.

Im ganzen Gerichtssaal gab es jetzt nur noch Stehplätze, und als ich mich umschaute, wurde mir bewusst, dass alle hier Anwesenden Geister waren. Seit dreihundert Jahren lagen sie tot in ihren Gräbern! Und doch saßen und standen sie hier um mich herum, flüsterten, nickten und hüstelten. Liz und ich waren die einzigen wirklich lebendigen Menschen in ganz Boston.

Erneut sauste der Hammer nieder. »Schluss

jetzt mit dem Rumoren!«, befahl Richter Rattle und wandte sein scharf geschnittenes Profil von einer Seite des Saals zur anderen. »Geschworene, sehe ich da etwa einen leeren Stuhl?«

Außer Atem stürmte ein untersetzter Mann durch die Tür und setzte sich auf den leeren Platz. Die Geschworenen waren ausschließlich Männer und alle trugen ihr Haar kurz geschnitten und rund, wie Fahrradhelme. Mir fiel auf, dass ich mindestens so groß war wie die meisten hier im Raum, größer sogar. Die Menschen müssen früher einige Zentimeter kleiner gewesen sein, dachte ich. Es sah aus, als wären sie um ein oder zwei Nummern geschrumpft. Ich ragte wie eine Fahnenstange zwischen ihnen auf und machte mich so klein wie möglich.

Abigail saß zwischen Liz und mir auf einer Holzbank in den hinteren Reihen. Sie versteckte ihr Gesicht hinter ihrem Schal und schien bereit, jederzeit die Flucht zu ergreifen.

Die Tür wurde geschlossen.

Liz tätschelte beruhigend Abigails Hand. »Die Geschworenen sind vielleicht schlauer, als sie aussehen«, flüsterte sie aus dem Mundwinkel.

»Konstabler, holen Sie die Gefangene«, sagte Richter Rattle.

Es gab eine eilige Besprechung, der ein konsternierter Blick und ein wütender Ausruf des Richters folgten. »Warum wurde das Gericht nicht davon in Kenntnis gesetzt? Hat unser schwachsinniger Sheriff diese zehnjährige Hexe womöglich davonlaufen lassen?«

Liz sprang auf wie aus der Kanone geschossen. »Einspruch, Euer Ehren! Zehnjährige Hexe! Abigail Parsons wurde noch nicht rechtmäßig verurteilt, Sir! Ich muss Sie daran erinnern, dass sie der Hexerei bisher nur angeklagt ist. Die Beschuldigung muss zurückgenommen werden. Vielleicht könnte sich das erlauchte Schiedsgericht sogar zu einer Entschuldigung herablassen.«

»Eine Entschuldigung?« Der Richter schoss einen Blick auf uns ab wie ein Flammenwerfer. »Wer erhebt sich da gegen das Hohe Gericht?«

»Ich bin die Rechtsberaterin der Angeklagten, Sir. Und Abigail Parsons ist nicht davongelaufen. Sie sitzt hier neben mir, freudig bereit, sich dem Gericht zu stellen. Kommen Sie, Miss Parsons.«

Es gab keinen Stuhl für die Vernehmung von Zeugen, also musste Abigail stehen. Im selben Moment, in dem sie ihren Schal vom Gesicht nahm, sprang eine gedrungene Frau in der Mitte des Gerichtssaals auf und zeigte mit dem Finger auf sie.

»Das ist sie! Das ist das Teufelskind! Das ist Abigail Parsons, die meinen Bruder in eine gelbe Katze verwandelt hat!«

»Niemand bestreitet, dass dies Abigail Parsons ist«, sagte Liz mit fester Stimme. »Ich gehe davon aus, dass die ungerechtfertigten Bemerkungen dieser Frau aus dem Protokoll und dem Gedächtnis der Geschworenen gestrichen werden.«

»Wer ... sind ... Sie?«, fragte Richter Rattle, der nach jedem Wort verblüfft nach Luft schnappte.

»Elizabeth P. Stebbins, Rechtsanwältin, Euer Ehren. Wie ich bereits erklärte, vertrete ich Miss Parsons in diesem Fall.«

Der Richter explodierte. »Sind sie übergeschnappt? Frauen sind in Rechtsfragen nicht ausgebildet! Betrügerin! Außer als Angeklagte oder als Zeugin hat noch nie eine Frau vor meinem Gericht gestanden und daran wird sich auch nichts ändern!«

»Als Geschworene auch nicht, wie ich sehe«, feuerte Liz umwendend zurück. Cool bleiben, Schwesterherz, dachte ich. Du bist hier, um einen Hexenprozess zu verhandeln. Vergiss mal die Frauenrechte. »Eines Tages werden Frauen sogar Richterinnen sein, das kann ich Ihnen versichern«, fügte sie hinzu, gerade laut genug für ihn, es zu hören.

»Soll ich Sie wegen der Verkündigung wahnwitziger Prophezeiungen unter Anklage stellen lassen?«, schnappte er zurück.

»Verstößt das auch gegen das Gesetz, Euer Ehren?«

»Setzen Sie sich und keine weiteren Belästigungen! Die Angeklagte wird selbst für sich sprechen. Sie hat nur ehrlich zu antworten, ja oder nein. Um die Wahrheit zu sagen, braucht sie keinen Beistand.«

Aber Liz setzte sich nicht. »Da Sie mir nicht erlauben wollen, vor Ihrem Gericht zu sprechen, wird mein Partner für mich übernehmen.« Sie zeigte direkt auf mich. »Mister Bud Stebbins wird die Angeklagte als stellvertretender Anwalt verteidigen.«

Um ein Haar wäre ich aus den Schuhen gekippt. War sie verrückt geworden? Dass sie mich zu ein paar Gerichtsverhandlungen mitgeschleift hatte, machte noch lange keinen Rechtsanwalt aus mir!

Zum ersten Mal schien Leben in den schläfrigen, zerknitterten Richter zu kommen. Ein feines Lächeln umspielte seine Lippen.

Richter Rattle musterte mich von oben bis unten. »Der ist doch noch ein Junge!«, rief er aus. »Wie alt ist er?«

»Sein Alter tut nichts zur Sache«, erklärte Liz. »Wie Männer Ihres Standes wissen, darf als stellvertretender Anwalt jeder auftreten, wenn der oder die Angeklagte dies wünscht. Jeder. Selbst eine sprechende Krähe könnte zum Rechtsbeistand ernannt werden.«

Der zerknitterte Richter, der auf den Namen Drywitt hörte, lachte auf und hob die Stimme. »Ich stimme zu, Gentlemen! Was für eine amüsante Situation!«

»Ich darf Sie daran erinnern, Sir«, konterte Richter Rattle, »dass ein Fall von Hexerei kaum zur heiteren Erbauung geeignet ist.«

»Meiner Meinung nach können wir den Jungen nicht ablehnen, Rattle.«

Die Richter steckten die Köpfe zusammen und flüsterten und murmelten eine Weile. Ich ergriff Liz beim Arm und dann flüsterten und murmelten wir ebenfalls. »Bist du völlig plemplem?«, fragte ich. »Ich kann Abigail nicht verteidigen! Ich hab doch von nichts eine Ahnung!«

»Du willst doch Schauspieler werden, oder? Du musst jetzt nur die Rolle eines Anwalts spielen. Spiel ihn so locker, wie du den Ichabod Crane gespielt hast. Ich werde dir zuflüstern, was du zu sagen und zu tun hast. Und sobald ich mein Kinn mit dem Daumen berühre, rufst du einfach ›Einspruch, euer Ehren‹.«

Die drei Richter nahmen die Köpfe auseinander. Auch wenn sie noch nie von einem stellvertretenden Anwalt gehört hatten, würden sie dies bestimmt nicht in aller Öffentlichkeit zugeben. Richter Rattle wandte sich an Abigail.

»Angeklagte! Willst du von diesem Jungen vertreten werden?«

Abigail schaute auf Liz, die ihr ein winziges Lächeln schenkte und knapp nickte.

»Keine Frage, Euer Ehren«, rief Abigail und warf mir einen fröhlichen Blick zu. »Lassen Sie ihn ein bisschen herumverteidigen.«

Richter Rattle wühlte sich gereizt durch ein paar Papiere. Liz hatte einen Sieg davongetragen, der ihr Punkte bei den Geschworenen eingebracht haben musste. Endlich zog der Richter ein Dokument aus dem Stapel und sagte: »Wir kommen nun zur Verlesung der Anklagepunkte!«

14. Kapitel

Einspruch

Im Gerichtssaal war es so still geworden wie auf einem Friedhof.

»Abigail Parsons«, las Richter Rattle von seinem Blatt ab, »du bist des Verdachtes der Ausübung von Hexenkunst gegen deine Nachbarn angeklagt. Ich halte hier vier Anklageschriften in den Händen, die das Geschworenengericht von Northampton mir übersandt hat. Einmal, zweimal, dreimal, viermal bist du als Hexe von Northampton bezichtigt worden! Bekennst du dich schuldig?«

Ich sah, dass Liz ihr Kinn mit dem Daumen berührte, und rief nervös: »Einspruch!«

Der Richter funkelte mich an. »Einspruch gegen was?«

Lampenfieber schwappte über mich hinweg wie eine riesige Welle. Ich konnte das Zittern in meinen Händen nicht abstellen. Es gelang mir gerade noch, den Kopf zu Liz herabzubeugen und zu flüstern: »Wogegen erhebe ich Einspruch?«

»Die Frage des Richters versucht die Angeklagte in eine bestimmte Richtung zu drängen. Schuldig? Abigail ist *nicht* schuldig!«

»Schau dir meine Hände an«, sagte ich.

»Premierenzittern. Das geht vorbei, Buddyschatz.«

Ich blickte auf und stotterte etwas von falscher Richtung. Dann murmelte ich, dass Abigail auf nicht schuldig plädierte.

»Die Angeklagte soll für sich selbst sprechen«, wies der Richter an. »Und mit gehobener Lautstärke, wenn es genehm ist.«

Abigail brüllte so laut, dass davon alle Bäume Neuenglands erzittern mussten: »Nicht schuldig! In keinster Weise!«

Richter Rattle fand ein Dokument, nach dem er gesucht hatte, nickte und ließ die erste Zeugin vereidigen. Es war die gedrungene Frau, die bereits zuvor mit dem Finger auf Abigail gezeigt und sie als »Teufelskind« bezeichnet hatte.

»Deliverance Lankton«, sagte er, »legen Sie Ihr Zeugnis ab.«

Die Frau stemmte ihre Fäuste in die Hüften. »Dieses bösartige Kind! Natürlich ist sie die Hexe von Northampton! Aye, hat sich zwischen den guten Farmern der Nachbarschaft versteckt gehalten, als wäre sie eine von uns!«

In Richter Drywitt kam Leben. »Dieses Gericht verlangt Zeugnis, Mrs Lankton, keine Meinungen, seien sie auch noch so gefühlvoll.«

»Oh, ich kann Ihnen stundenlang Zeugnis geben!«

»Fassen Sie sich kurz.«

»Es ist eine Weile her, letztes Jahr. Ich hatte unsere Kuh gemolken – die Braune mit dem abgeknickten Schwanz – und den Eimer abgesetzt, um die Hunde zu beruhigen, die miteinander rauften, und als ich die Milch zu Jenny Gaddings rübertrug, die an Schüttelfrost litt, da lief mir das Teufelskind über den Weg –«

Liz berührte ihr Kinn und ich rief: »Einspruch!«

»Stattgegeben«, sagte Richter Rattle schnell. Der Einspruch, nahm ich an, richtete sich wohl dagegen, dass schon wieder auf Abigail herumgehackt wurde, bevor sie rechtmäßig verurteilt war.

Die Farmersfrau rückte ihr Häubchen zurecht und fuhr fort: »Es war Abigail Parsons, die ich da auf der Straße sah, so deutlich, wie ich sie jetzt hier sehe, und als ich die Milch bei Jenny Gaddings ablieferte, war das Teufelswerk auch schon getan.«

»Was für Teufelswerk?«, erkundigte sich Richter Drywitt.

»Die Milch war sauer geworden.«

»Sauer?«, wiederholte der Richter.

»Schneller als ein Hagelschlag. Jeder weiß, dass Milch sauer wird, wenn eine Hexe den Eimer angesehen hat.«

Liz rückte näher und flüsterte: »Finde heraus, wer sonst noch den Milcheimer gesehen hat.«

»Das ist wie der Fall, den du zu Hause hattest«, flüsterte ich zurück. »Von dem Typen, der angeblich mit dem bösen Blick Blumen zum Verwelken gebracht hat.«

Liz nickte rasch. »Manche Dinge ändern sich, andere nicht. Könnte es am Wetter gelegen haben? Frag, frag, frag. Und wo steht geschrieben, dass Hexen Milch sauer werden lassen? Denk daran, Beweise, die auf Hörensagen beruhen, sind vor Gericht nicht zulässig.«

Richter Rattle deutete mit dem Griff seines Hammers auf mich. »Will der *stellvertretende* Anwalt die Zeugin ins Kreuzverhör nehmen?«

»Jawohl, Sir«, sagte ich.

Plötzlich stand ich im Rampenlicht und konnte das Beben in meiner Stimme nicht unterdrücken. Bisher hatte ich den Mann mit der Tomatennase, der jedes Wort mitschrieb, kaum wahrgenommen. Jetzt aber sah ich ihn, aufrecht, den Federkiel in der Hand. Er wartete auf mich.

»Madam«, sagte ich nach einer langen Pause, »hat sonst noch jemand den Milcheimer angesehen?«

»Nein, Kleiner.«

Kleiner? Ebenso gut hätte ich zu Hause in San Diego sein können. »Was ist mit Ihrer kranken Freundin?«

»Du meinst Jenny Gaddings?«

»Sie hat die Milch doch gesehen, oder?«

»Natürlich. Ich hab sie ihr doch gebracht.«

»Wie wollen Sie dann wissen, dass es nicht Jenny Gaddings war, die die Milch hat sauer werden lassen?«

»Red keinen Blödsinn! So etwas Bösartiges würde Jenny niemals tun!«

»Vielleicht ist sie die Hexe von Northampton«, sagte ich.

Dröhnendes Stimmengewirr erhob sich über

den Saal. Richter Rattle donnerte mit seinem Hammer um Ruhe und feuerte einen Warnschuss auf mich ab.

»Nicht unverschämt werden! Jenny Gaddings steht hier nicht vor Gericht.«

Ich holte tief Luft. Ich wusste, dass das Publikum mir nicht freundlich gesonnen war. Die Geschworenen beobachteten meinen Auftritt wie eine Zirkusnummer, als sei ich ein sprechender Hund oder so was. Wie kam ein Kind dazu, Fragen zu stellen wie ein Richter? Doch Liz schien mit meinem Auftritt vollauf zufrieden und Abigail strahlte wie ein Honigkuchenpferd. Der kalte Schweiß auf meiner Stirn begann zu trocknen. Ich musste bloß den Ichabod Crane so spielen, als wäre er kein Lehrer, sondern ein Anwalt.

»Madam«, sagte ich, »wie war an jenem Tag das Wetter?«

»Ganz normales Augustwetter.«

Ein Gedanke blitzte in mir auf, wahrscheinlich sah man mich sogar kurz lächeln. »Und wie weit war der Weg bis zum Haus Ihrer Freundin?«

»Hab ich nie nachgemessen.«

»Weiter als eine Meile?«, fragte ich.

»Weiter.«

»Drei oder vier Meilen?«

»Und eine halbe dazu, schätze ich.«

Es klang weit genug, um Milch an einem heißen Augusttag sauer werden zu lassen – davor hatte sie ja auch noch die Hunde voneinander trennen müssen.

»Sie sagten, dass Hexen Milch sauer werden lassen«, sagte ich. »Woher beziehen Sie dieses Wissen, Madam?«

»Das weiß doch jeder.«

»Ich wusste es nicht.«

Sie stieß einen Schnaufer aus. »Dann hast du keine Ahnung von den dunklen Mächten.«

Liz schickte mir eine dringende Nachricht. Sie schrieb sie mit einem kleinen Kugelschreiber aus ihrer Brieftasche auf einen Notizblock. Vielleicht dachten ihre Sitznachbarn, sie schreibe mit einer seltsamen Art von Kreide. Auf dem Zettel stand: Hörensagen! Hörensagen!

Und ich sagte: »Madam, wäre es richtig zu sagen, dass Sie nur vom Hörensagen wissen, dass Hexen angeblich Milch sauer werden lassen können?«

»Was heißt hier ›nur‹? Und ob ich's gehört habe.«

»Beweise dafür haben sie aber keine?«

»Hexen sind viel zu gerissen, um Beweise herumliegen zu lassen wie runtergefallene Schnäuztücher, Kleiner.«

Hatte Liz nicht gesagt, ich solle fragen, fragen, fragen? »Und wenn es nur Klatsch und Tratsch war?«, sagte ich.

»Na wenn schon«, antwortete sie.

»Ist die Verbreitung von Klatsch, selbst von Klatsch über Hexen, nicht gegen das Gesetz? Müssten Sie nicht den Buchstaben *K* um Ihren Hals tragen? Ich sehe allein zwei solcher Buchstaben hier im Gerichtssaal.«

Deliverance Lanktons Gesicht wurde rot wie ein gegrillter Hamburger. Richter Rattle ließ den Hammer niedersausen. »Die Zeugin steht nicht wegen des Verbreitens von Klatsch vor Gericht!«, grollte er. »Sie hat davon Zeugnis abgelegt, dass Abigail Parsons kraft ihrer schwarzen Augen Milch hat sauer werden lassen.«

»Hab ich nicht!«, schrie Abigail.

Ich wandte mich den drei Richtern zu. »Euer Ehren«, sagte ich, »könnte es nicht sein, dass die Milch von der Hitze sauer wurde? Und ist es nicht offensichtlich, dass die Beweise in diesem Fall nur auf Hörensagen beruhen?«

Richter Drywitt strahlte. »Mir scheint, er hat Recht. Ich glaube, unser junger stellvertretender Anwalt fragt sich, ob wir die Anklage jetzt nicht fallen lassen müssen.«

Richter Rattle drückte die Schultern durch, hob das Kinn und zeigte erneut sein scharfes Profil. »Dann darf ich Sie daran erinnern, dass dies nur der erste von vier Anklagepunkten gegen die Hexe von Northampton war.«

15. Kapitel

Besenstiel und gelbe Katze

Während der nächste Zeuge, ein Bierbrauer, vereidigt wurde, flüsterte Liz in rasender Geschwindigkeit auf mich ein. Man hätte glauben können, dass sie es für möglich hielt, mich in sechzig Sekunden zum Anwalt auszubilden. Warum hatte ich nicht nach der Vorlage von Beweisen gefragt – nach dem Eimer mit saurer Milch zum Beispiel? Denk daran, dir Beweise vorzeigen zu lassen. Die Anschuldigungen sind lächerlich. Versuche ein Motiv zu finden. Ruf mich als Zeugin für Abigail auf.

Wieder füllte die Stimme von Richter Rattle den Raum. »Daniel Gookins, wir werden jetzt Ihr Zeugnis anhören. Ist es wahr, Sir, dass die Angeklagte Sie in eine gelbe Katze verwandelt hat?«

»Jawohl, Sir.«

»Fahren Sie fort.«

Der Zeuge kratzte sich am Hals. »Wollte gerade ein Fass Bier mit dem Karren zur Taverne von Jonathan Burt bringen, als ein Rad in 'ne Bodenwelle kracht und ich kopfüber gehe, den Hügel runter. Da war vorher kein Loch im Boden, das schwör ich. Als ich durch die Luft wirbel, seh ich Abigail. Die sitzt in 'nem vom Blitz gespaltenen Baum und grinst auf mich runter. Kaum dass ich den Boden berühre, hat sie mich auch schon in eine gelbe Katze verwandelt.«

»Hab ich nicht!«, rief Abigail.

Richter Rattle richtete seinen Flammenwerferblick auf sie. »Stimmt es, dass du auf Bäume kletterst?«

»Natürlich klettere ich auf Bäume«, antwortete sie.

Mit einem kleinen, süffisanten Grinsen machte er sich eine Notiz. »Weiter, Mister Gookins.«

»Ich lief auf allen vieren nach Hause, den Schwanz in der Luft, und Abigail hinter mir her. Und als ich eben um die Scheune bog, verwandelte sie mich zurück und mein gelbes Fell war verschwunden.«

Ich sah, wie Abigail die Augen verdrehte, bevor sie ausrief: »Sie waren besoffen, Mister Gookins, wie immer! Deshalb haben Sie das Loch im Weg nicht gesehen und sich überschlagen!«

Richter Drywitt beugte sich vor. »Hat irgendjemand Sie in Gestalt einer gelben Katze gesehen? Ich nehme doch an, dass Sie einen oder zwei Zeugen dafür haben?«

»Nein, Sir. Aber von der Katze hab ich die Flöhe behalten«, sagte Mister Gookins feierlich. »Hab mich eine Woche lang gekratzt.«

Eine Bewegung von Liz und ich sprang auf. »Sir«, sagte ich, »ich verlange, dass die Flöhe als Beweismittel vorgelegt werden.«

Der Bierbrauer kratzte sich noch einmal am Hals und bedachte die Richter mit einem ernsten Blick. »Ich befürchte, ich hab die Flöhe schon vor Wochen abgemurkst, Euer Ehren.«

Es erstaunte mich, dass anscheinend alle im Gerichtssaal bereitwillig glaubten, dass er sich in eine Katze verwandelt hatte. Bedrückt wandte ich mich Liz zu, als ein plötzlicher Gedankenblitz mich auf der Stelle festnagelte. Ich musste mich nicht mit Liz besprechen. Ich wusste, was ich zu sagen hatte.

»Woher wussten Sie, dass es eine gelbe Katze war?«, fragte ich Mister Gookins.

»Hab schließlich meine eigenes Fell gesehen, was?«, antwortete er. »Über und über gelb war ich. Gelb wie Butterblumen.«

Ich bedachte die Geschworenen mit einem langen Blick, dann wandte ich mich den Richtern zu. Mir war etwas eingefallen, das ich als Kind in irgendeinem Buch über Tiere gelesen hatte, auch wenn es im siebzehnten Jahrhundert noch nicht bekannt gewesen sein mochte. »Mister Gookins kann sich gar nicht selbst als gelbe Katze gesehen haben«, sagte ich. »Und auch nicht als rote oder grüne Katze. Es ist wissenschaftlich bewiesen, dass Katzen keine Farben erkennen können. Sie sind farbenblind!«

Stimmengemurmel erfüllte den Saal, das sofort von Richter Rattle niedergehämmert wurde. »Wenn die Öffentlichkeit das Verfahren stört, werden wir noch den ganzen Tag hier eingesperrt sein! Der Fall wird fortgesetzt. Vor dem Gericht legen jetzt Abner Green, Schweinezüchter, und seine Frau Hannah gemeinsam Zeugnis ab.«

Der Schweinezüchter war ein knochiger Mann mit dunklen, tief liegenden Augen. Er war so wild darauf, Zeugnis abzulegen, dass er kaum vereidigt war, als er auch schon mit ausgestrecktem Arm auf Abigail zeigte, stocksteif, als stehe er einem Bildhauer Modell.

»Das ist sie! Hab sie mit eigenen Augen gesehen!«

»Klar und deutlich wie der Tag!«, fügte seine Frau hinzu. »Ich hab sie auch gesehen!«

»Erzählen Sie uns, was Sie vor dem Geschworenengericht in Northampton ausgesagt haben«, sagte Richter Rattle und wischte eine Fliege von seiner Nase. Ich dachte an Käpt'n Stebbins und seine Frau, die noch immer draußen am Pranger standen, und hoffte, dass jemand auch von ihnen die Fliegen fernhielt.

Mister Greens Stimme drang hauptsächlich aus seiner Nase und summte dabei wie eine Stimmgabel. »Hannah und ich treiben die Schweine bei den Parsons vorbei, als plötzlich Abigail aus dem Haus geschossen kommt und mit einem Stiel aus Birkenholz rumfuchtelt. ›Haut ab!‹, schreit sie und klingt dabei ganz wie ihr Vater, wenn er zu Hause ist. ›Verschwindet!‹ Und ich sagte: ›Das ist 'ne öffentliche Straße, Abigail.‹«

Jetzt richtete Abigail ihren Arm auf ihn. »Wie können Sie so etwas sagen, Mister Green?«, rief sie aus. »Ihre Schweine haben unseren Garten umgepflügt, und das nicht zum ersten Mal! Mein Vater hat Sie gewarnt!«

»Nun hört euch dieses bösartige Kind an!«, warf Mister Green ein. »Die hat doch kein wahres Wort von sich gegeben, seit sie mit dem Teufel im Bunde steht!«

»Einspruch!«, schmetterte ich, doch Richter Rattle hatte genug von Einsprüchen und ließ mich links liegen.

»Eine Minute später«, rief Mister Green aus, »ist Abigail auf den Birkenstiel gestiegen und damit in die Luft geflogen. Dann ist sie auf uns runtergestochen, hat dabei immer weiter geschrien und unsere Schweine verängstigt. Die sind davongelaufen, in alle Himmelsrichtungen, und haben uns dabei über den Haufen gerannt!«

Richter Drywitt beugte sich vor, ein kaum wahrnehmbares Lächeln im Gesicht. »Donner und Erdbeben! Blitz und Höllenfeuer! Ein solches Wunder raubt mir den Atem, Sir! Sie haben ausgesagt, unter feierlichem Eid, dass Sie Zeuge waren, als eine Hexe auf einem Besenstiel durch die Lüfte geritten ist?«

»Das habe ich.«

»Haben wir«, verbesserte Mrs Green.

Erneut zeigte der Schweinezüchter auf Abigail. »Und dann ist sie auf uns zugeflogen, hat mächtig Staub dabei aufgewirbelt und sich rasend wie der Wind dabei gedreht!«

»Und aus ihrer Tasche fiel das Buch raus!«, rief Mrs Green.

»Was für ein Buch?«, fragte Richter Rattle. Der leckt sich ja schon die Lippen, dachte ich. Er schien den Schweinezüchter und seine Frau für seine Starzeugen zu halten.

»Na, das Buch vom Teufel höchstpersönlich, Sir«, antwortete sie. »Das Buch vom alten Beelzebub, in das er mit eigener Hand die Namen aller Hexen und Hexenmeister geschrieben hat. Und da stand Abigails Name drin, in großen Lettern.«

Ohne auf einen Hinweis von Liz zu warten, sprang ich auf. »Wurde das Buch als Beweismittel eingereicht?«, fragte ich.

»Eine berechtigte Frage«, sagte Richter Drywitt. »Mrs Green, haben Sie dieses seltsame Buch dem Sheriff zur Aufbewahrung ausgehändigt? Es ist ein stichhaltiges Beweismittel.«

»Stichhaltig wie ein Nadelkissen«, sagte sie. »Aber die Hexen und Hexenmeister passen auf ihren alten Beelzebub auf, nicht wahr? Als Abigail sah, wie ich das Buch betrachtete, schnippte sie mit den Fingern und die Seiten gingen in Flammen auf.«

»Dann ist das Beweismittel also verbrannt«, sagte ich.

»Zu einem Häufchen Asche«, sagte sie mit heftigem Nicken.

»Schade«, meinte Richter Drywitt.

»Sie dürfen sich setzen«, sagte Richter Rattle.

Damit waren die Anklagepunkte gegen Abigail erschöpft. Ich sah zu Liz, in Erwartung eines Glückwunsches zu meiner bisher brillanten

Anwaltstätigkeit. Doch Liz war von ihrer Bank aufgestanden und eilte gerade aus dem Saal.

Die kann mich doch hier nicht allein lassen! dachte ich. Wohin ging sie? Wie sollte ich ohne ihre Hilfe dieses Ding mit dem Besenstiel entkräften? Ich betrachtete die ernsten Gesichter der Menschen im Saal und fragte mich, ob sie wirklich alle diesen Quatsch glaubten. Nun ja, Richter Drywitt vielleicht nicht. Der schien herauszuhören, wenn jemand Blödsinn erzählte.

Fliegende Besenstiele! Das Sinnvollste war wohl, auf Zeit zu spielen. Vielleicht fiel mir etwas ein oder vielleicht kam Liz rechtzeitig zurück, um mir zu helfen.

»Abigail Parsons«, sagte ich und fühlte mich wie ein Schauspieler, der seinen Text vergessen hat und jetzt aus dem Stegreif improvisieren musste. »Abigail Parsons, kannst du dir vorstellen, warum deine Nachbarn diese schweren Anschuldigungen gegen dich erheben?«

»Und ob ich das kann«, sagte Abigail.

»Erkläre es bitte dem Gericht.«

Abigail verschränkte die Arme vor der Brust. »Als meine alte Großmutter Plum letzten Winter der Hexerei bezichtigt wurde, hat man sie so lange gefoltert, bis sie ein Geständnis ablegte.«

»Dass sie eine Hexe war?«, fragte ich.

»Mehr als das. Dass sie eine Hexenfreundin in Northampton hätte. Schließlich nickte sie mit ihrem alten Kopf, wie es so ihre Art war – vielleicht fiel er auch einfach nur nach vorn, weil sie ohnmächtig wurde. Jedenfalls stieß Großmutter

Plum ihren letzten Seufzer aus ohne den Namen der anderen Hexe genannt zu haben. Und damit nahm das Unheil seinen Lauf.«

»Denn jeder hätte die Hexe sein können«, sagte ich.

»Jeder hatte Angst davor, von einem anderen als Hexe von Northampton bezichtigt zu werden.«

»Von einem eifersüchtigen Nachbarn zum Beispiel?«, fragte ich.

»Oder von jemandem, der Groll gegen einen hegte«, sagte Abigail und fügte dann hinzu: »Wie Mister Green.«

»Wussten deine Nachbarn davon«, fragte ich ernst, »dass deine Großmutter wegen Hexerei vor Gericht gestanden hatte?«

»Sie haben mich oft genug daran erinnert.«

»Glaubten sie, dass die Hexerei bei euch in der Familie liegt?«

»Aber Großmutter wurde doch freigelassen! Sie war frei und unschuldig wie ein Vogel!«

»Doch der Verdacht auf Hexerei blieb bestehen, ist das richtig?«

»Aye.«

Ich sah mich verzweifelt nach Liz um. »Wenn du verurteilt wirst, muss also niemand mehr befürchten, selbst als Hexe von Northampton angeklagt zu werden, richtig?«

»Aye.«

»Das gilt besonders für diejenigen Zeugen, die gegen dich ausgesagt haben.«

»Ganz besonders für die«, antwortete Abigail.

Plötzlich kam Liz durch die Tür und marschierte den Gang hinab, einen Besen in der Hand.

»Euer Ehren«, sagte sie mit ihrer besten Anwaltsstimme, »ich möchte Ihnen dieses Beweismittel vorlegen.«

»Einen gewöhnlichen Besen?«, fragte Richter Rattle.

»Einen Besen aus *Birkenholz«*, antwortete Liz. »War es nicht ein solcher Besen, von dem die Zeugen behaupteten, die Angeklagte sei darauf durch die Luft geritten? Ich bitte die Angeklagte, die bisher willig mit dem Gericht zusammengearbeitet hat, um ihre weitere Zusammenarbeit. Abigail Parsons, steig auf diesen Besen und fliege damit unter die Saaldecke. Zeig es uns!«

»Es euch zeigen?«, rief Abigail aus. »Ich kann auf keinem Birkenstiel und auch auf sonst keinem Besen fliegen!«

»Aber wenn du eine Hexe bist, könntest du dann nicht auf diesem Besen aus dem Fenster hinaus davonfliegen und damit dem Tod durch den Strang entgehen? Spring schon auf, Abigail, und fort mit dir!«

»Aber ich bin keine Hexe!«

»Genau«, sagte Liz. »Ich möchte diesen Besen als Beweis dafür anerkannt wissen, dass die Angeklagte weder auf Besen noch auf Regenschirmen, Butterfässern oder sonst was fliegen kann. Sie ist zu Unrecht der Hexerei bezichtigt.«

Das Stimmengewirr wurde schnell lauter, es ertönten sogar ein oder zwei Lacher. Richter Rattle konnte der Situation allerdings nichts Witziges abgewinnen.

»Setzen! Es steht allein dem Gericht an, darüber zu entscheiden, ob die Anklagen zu Recht oder Unrecht erfolgten!«

Als Liz sich gerade gesetzt hatte, sprang ich plötzlich auf. Erinnerte sie sich nicht daran, wie sie den Mann freibekommen hatte, der beschuldigt worden war, Blumen mit dem bösen Blick zum Verwelken zu bringen? Ich würde dieselbe Verteidigungsstrategie ausprobieren! Ich gab mich ganz locker und lässig, wie Ichabod Crane im Schultheater. »Meine Herren, und *wenn* Abigail Parsons nun auf einem Besenstiel geritten ist? Sie haben Gesetze gegen das Verbreiten von Klatsch.« Jetzt wandte ich mich den Geschworenen zu. »Sie haben Gesetze gegen Springen und Hüpfen und Küssen an Sonntagen. Aber haben Sie auch ein Gesetz gegen das Reiten auf Besenstielen?«

Liz warf mir einen überraschten Blick zu. Ich glaube, sie war stolz auf mich. Richter Drywitt platzte fast vor Lachen. Als er wieder Luft holen konnte, sagte er: »O du meine Güte! Lassen wir es die Geschworenen wissen: Es gibt kein solches Gesetz!«

Richter Rattle sah überheblich auf die Geschworenen herab. »Da es keine weiteren Zeugen gibt, mögt ihr Männer euch ins Nebenzimmer zurückziehen und darüber entscheiden, ob dieses Kind durch bösartige und verabscheuungswürdige Taten gezeigt hat, dass es mit dem Teufel im Bunde steht. Soll sie hängen und mit einem durch ihr Herz gebohrten Pfahl begraben werden?«

Liz konnte sich nicht zurückhalten. Sie sprang auf. »Hängen? Ein Pfahl durchs Herz? Nicht dieses unschuldige Kind! Nicht wie die unschuldige Bridget Bishop, die in Salem vom Ast einer Eiche herabbaumeln wird! Die erste von vielen! Die kommenden Jahrhunderte werden Salem als eine Stadt betrachten, wo der Wahnsinn der Hexenverfolgung regierte. Wollen Sie, dass der Name der Stadt Boston in den Geschichtsbüchern einst ebenfalls kalte Schauer auslösen wird? Denn das wird geschehen, wenn sie die lächerlichen Anschuldigungen gegen die zehnjährige Abigail Parsons ernst nehmen!«

In diesem Moment drängten sich Käpt'n Stebbins und seine Frau durch die Tür auf der rückwärtigen Seite des Saales. Richter Rattle hämmerte auf seinem Tisch herum, um Liz zum Schweigen zu bringen. Sie hatte gesagt, was sie sagen wollte, und hielt den Mund.

Abigail kam auf uns zu, wurde aber von einem Konstabler am Arm ergriffen und zurückgehalten. »Wir können Sie noch nicht gehen lassen, kleine Miss.«

Sie schrie auf. »Die legen mich in Ketten!«

Sie riss sich los und wäre vielleicht noch vor der Tür aufgehalten worden, wenn Käpt'n Stebbins ihr nicht den Weg freigehalten hätte. Schnell wie der Blitz war sie verschwunden.

»Teufel aber auch! Hat dieser Narr von Rattle sie überführt?«, fragte der Käpt'n.

»Er hat sein Bestes gegeben«, sagte Liz. »Wir werden sehen.«

»Sie und meine Frau Mercy werden sich um Abigail kümmern müssen. Mister Silvernail hält ein Schiff für uns bereit und die Gezeiten stehen günstig. Ich nehme die Verfolgung der *Lachenden Meerjungfrau* auf. Wir haben keine Zeit zu verlieren! Kommst du mit, junger Stebbins?«

16. Kapitel

Die Seepfeil

Es überraschte mich nicht, dass von Abigail nichts mehr zu sehen war, als wir aus dem Gebäude traten. Ich nahm an, dass sie sich auf die Suche nach dem nächstbesten Baum gemacht hatte, so wie letztes Mal. Meine Schwester dachte genauso.

»Wenn die Geschworenen doch entscheiden, sie hängen zu lassen, gebt einem der Brüder Silvernail Bescheid«, sagte der Käpt'n. »Er wird wissen, was zu tun ist.«

Am Pranger und an dem Mast vorbei, der für öffentliche Auspeitschungen gedacht war, eilten wir hinunter zum Hafen. Ein scharfer Wind blies durch die Straßen und in der Bucht türmten sich Schaumkronen auf dem Wasser.

Ich sagte zu Liz: »Halt nach der *Lachenden Meerjungfrau* Ausschau, wenn wir zurückkommen – falls es Käpt'n Stebbins gelingt, sie aufzuspüren. Wenn nicht, gewöhnen wir uns beide besser daran, dieses alte Englisch zu sprechen. Dann kommen wir nämlich nie nach Hause.«

»Ich finde, du solltest hier bleiben, Buddy. Ich fühle mich nicht wohl dabei, dass wir uns trennen.«

»Ich muss aber mitgehen.«

»Warum?«

»Weil Käpt'n Stebbins es von mir erwartet«, antwortete ich. »Er bringt mir alle möglichen Sachen bei.«

»Ich glaube kaum, dass du in die Verlegenheit kommen wirst, einen Mast raufklettern zu müssen.«

»Genau das werde ich tun, wenn wir den dreizehnten Stock nicht finden.«

Das ramponierte Schiff, das auf uns wartete, hatte einen schmalen schwarzen Rumpf und besaß zwei Masten. In verschnörkelten goldenen Lettern war der Name auf die Seite geschrieben: *Seepfeil.*

Einer der Silvernail-Brüder – der mit dem teerverklebten Zopf, den ich bereits kannte – lupfte seinen schwarzen Hut, um sich vor Liz und Mrs Stebbins zu verbeugen. »Willkommen auf meinem bescheidenen Schiff, die Damen.«

Mrs Stebbins musterte es unglücklich. »Das sieht nicht sonderlich seetüchtig aus, Sir. Zerbrechlich wie eine Eierschale.«

»Zerbrechlich, in der Tat, Madam, aber unerschrocken«, antwortete Mister Silvernail. »Und schnell wie ein Moskito.«

Käpt'n Stebbins nickte. »Großartig, Mister Silvernail. Befindet sich mein Sextant an Bord?«

»Aye, Käpt'n. Alles, was sie mit sich an Land brachten, wurde verladen. Was die Mannschaft angeht, so ist es mir leider nicht gelungen, einen Ersten Maat zu finden, den es zu uns nach Boston verschlagen hat und der eine Kajüte sucht.«

»Möchtest du vielleicht selbst anheuern, Amos?«, fragte Käpt'n Stebbins.

Es war klar, dass Mister Silvernail keine allzu großen Mühen auf die Suche nach einem Ersten Maat verwendet hatte. »Meine Seekiste ist immer gepackt«, antwortete er auch gleich und ich fragte mich, ob er irgendwie von dem Schatz auf der *Lachenden Meerjungfrau* erfahren hatte.

Jetzt brach Mrs Stebbins in Tränen aus. »Musst du wirklich gehen, John, Liebster? Du bist doch gerade erst zurückgekehrt!«

»Und, ich werde wieder zurückkehren, als Kapitän meines eigenen Schiffes.«

Es tat mir Leid, Boston verlassen zu müssen, ohne zu erfahren, ob die Geschworenen Abigail hängen und einen Pfahl durch ihr Herz treiben lassen wollten. Aber wenigstens hatte sie Liz.

Die Mannschaft kam an Bord, unter ihnen Mawkins, der beleidigt dreinblickende Mann mit dem Latz, auf dem der Buchstabe *S* prangte – für *Schurke.* Ehe ich mich versah, waren wir auch schon zum Ablegen bereit, und ich beschloss, mich außer Reichweite zu halten, bevor Liz auf die Idee kam, mich doch nicht mitfahren zu lassen. Ich wusste, dass sie mich trotz meiner grandiosen, atemberaubenden Leistungen als stellvertretender Anwalt immer noch als zwölfjährigen Jungen betrachtete.

Kurz darauf winkten wir einander zu, als die *Seepfeil* vom Pier ablegte. Ich war mächtig aufgeregt. Ich fuhr zur See – und diesmal sogar absichtlich. Es würde mich nicht überraschen, wenn die *Seepfeil*, sobald wir den Hafen verlassen hatten, die Totenkopfflagge hisste. Ich hatte so eine Ahnung, dass Mister Silvernails ramponiertes Schiff sich als ziemlicher Flitzer entpuppen würde.

17. Kapitel

Ein Geist im Krähennest

Es war später Nachmittag, als wir den Hafen verließen. An unserem Bug flatterte die englische Flagge, so groß, dass sie beinahe ins Wasser tauchte. Käpt'n Stebbins setzte einen sehr genauen Kurs fest. Ich hörte, wie er Mister Silvernail, der an dem riesigen Steuerrad stand, laut zurief: »Kurs Südost, dreiviertel Ost, mein Freund.« Er schien genau zu wissen, wohin er fahren musste.

Wie sich herausstellte, bestand unsere Mannschaft aus nur sieben Männern, doch es gelang ihnen, sobald wir auf See waren, alle Segel zu setzen. Das Knattern und Schlagen von Segeltuch schien Musik in den Ohren des Käpt'ns zu sein. Er grinste zufrieden über das ganze Gesicht. Ein Käfig voller gackernder Hühner war an Bord geladen worden, und er schlug vor, ich solle eins davon zum Abendessen aussuchen, ihm den Hals umdrehen und es rupfen.

»Ich?«, fragte ich verblüfft.

»Du bist doch der Schiffsjunge, oder?«

»Jawohl, Sir!«, gab ich zurück.

Woher sollte ich wissen, wie man einem Huhn den Hals umdreht? Oder wie man ihm die Federn rupft? Hühnchen waren in Plastikfolie eingeschweißte Dinger, die man im Supermarkt kaufte.

Es gelang mir, ein flügellahmes Huhn aus dem Käfig zu ziehen, doch kaum war es draußen, rannte es mir davon. Ich verfolgte es über das ganze Deck, bis ich gegen ein Paar kurzer Beine in schmutzigen weißen Socken stieß. Vor mir stand Mawkins und lachte leise in sich hinein.

»Hast wohl Angst vor Hühnern, was?«

»Nicht, wenn sie gekocht sind«, antwortete ich.

»Wenn du mir die Federn überlässt, Junge«, sagte er, »dreh ich ihm den Hals um und rupf es auch für dich. Würde mir gefallen, mein Schurkenhaupt auf eine Federwolke zu betten.«

Den Buchstaben, der um seinen Hals gehangen hatte, hatte er inzwischen abgelegt. Er rupfte das Hühnchen nicht nur, er kochte es auch, da Mister Silvernail sich nicht die Mühe gemacht hatte, noch einen Koch anzuheuern.

Ich durfte mit dem Käpt'n und Mister Silvernail in der Kapitänskajüte essen. Während des Essens erfuhr ich, dass es auf dem offenen Meer vor der Küste Neuenglands von englischen, französischen und holländischen Piratenschiffen nur so wimmelte. »Und sie alle haben von Käpt'n Crackstone und dem Schatz vom Roten Meer gehört, John. Sei auf der Hut!« Jetzt bestand kein Zweifel mehr daran, dass Mister Silvernail über den Schatz Bescheid wusste.

»Ja, sei sogar doppelt auf der Hut!«, fuhr er

fort. »Während du unterwegs warst, hat die Krone Kriegsschiffe mit dem Befehl ausgesandt, alle Piratenschiffe zu kapern, ihre Schätze zu konfiszieren und die Kapitäne noch auf hoher See zu hängen.«

Der Käpt'n sah von seinem Essen auf und sagte mit dünnem Lächeln: »Wir sind Geschäftspartner, Amos. Aber ich verspreche dir, dass dich das nicht verpflichtet, an meiner Seite zu hängen.«

»Ist dir aufgefallen, Käpt'n«, sagte Mister Silvernail, »dass unser Schiff nicht das einzige war, das von Boston ausgelaufen ist?«

Der Käpt'n wischte sich die Hände mit einer spitzenverzierten Serviette sauber. »Junger Stebbins, auf den Großmast mit dir, und halte Ausschau, ob ein Kriegsschiff uns verfolgt.«

Diesmal hatte ich nicht mehr so viel Angst beim Erklimmen der Rattenseile. Hand um Hand, Fuß um Fuß kletterte ich, bis ich auf der Plattform des Krähennestes angekommen war. Ich schnappte mit einem solchen Laut nach Luft, dass man es bis weit ins zwanzigste Jahrhundert hinein gehört haben musste.

In der stürmischen Dunkelheit sah ich nur einen zusammengekauerten Schatten und geisterhaft weiße Finger. Und dann begann die Gestalt zu sprechen.

»Ich hab Hunger.«

Es war Abigail Parsons.

18. Kapitel

Die Insel

Falls es Käpt'n Stebbins überraschte, Abigail an Bord der *Seepfeil* vorzufinden, wusste er das, bis auf eine leicht hochgezogene Augenbraue, geschickt zu verbergen.

»Meine liebste Abigail«, sagte er, denn schließlich war er ihr Patenonkel. »Kind, für den Moment bist du in Sicherheit. Junger Stebbins, lass die Mannschaft wissen, dass sie ihren Umgangston zügelt, jetzt, wo wir eine Dame an Bord haben.«

Es gab zwei unbewohnte Kabinen, von denen sie sich eine aussuchte. Von dem Hühnchen waren nur noch Knochen übrig, aber es gab jede Menge getrockneten Kabeljau, frisches dunkles Brot und Apfelwein.

»Wohin fahren wir?«, fragte sie.

Ich erwähnte den Schatz vom Roten Meer mit keiner Silbe, erklärte aber, dass Käpt'n Stebbins sein eigenes Schiff zurückerobern wollte.

»Und dann kehren wir nach Boston zurück?«

»Natürlich.«

»Die werden mir einen Strick um den Hals legen.« Ihre Stimme überschlug sich. »Die werden mich direkt in die Arme des heiligen Petrus werfen!«

Ich schüttelte den Kopf. »Ich weiß hundertprozentig, dass du nicht am Galgen enden wirst.«

»Pah! Woher willst du das wissen?«

»Ich weiß es!«, sagte ich. »Sonst wäre es mir im Totenbuch der Familie aufgefallen. Dein Name steht drin.«

Sie starrte mich über den Rand ihres Bechers hinweg an.

»Ich kann das nicht richtig glauben, was Miss Stebbins mir von diesem Ort erzählt hat, wo ihr beiden herkommt. Sand Jego?«

»San Diego. Aber es stimmt, Abigail. Wirklich schlimm ist nur, was ich über Käpt'n Crackstone weiß. *Er* wird am Galgen enden, nicht du. Was mit dir passieren wird, daran kann ich mich nicht erinnern.«

»Wer ist Käpt'n Crackstone?«

Ich zuckte die Achseln und beließ es dabei.

Früh am nächsten Morgen kletterte Käpt'n Stebbins persönlich die Rattenseile hinauf und suchte mit seinem Fernrohr den hinter uns liegenden Horizont ab.

»Aye, das Kriegsschiff verfolgt uns wie eine Möwe«, verkündete er Mister Silvernail. »Hervorragend. Wir dürfen nicht schneller sein als sie. Holt die Topsegel ein.«

Das Reffen der oberen Segel musste unsere Geschwindigkeit tatsächlich verringert haben, denn bei Einbruch der Abenddämmerung konnte man das Kriegsschiff bereits mit bloßem Auge erkennen.

Die meiste Zeit aber hielten Abigail und ich nach der *Lachenden Meerjungfrau* Ausschau. Wir wechselten uns im Krähennest ab. Es gefiel ihr, dort oben zu sein und ihre Sorgen außen vor lassen zu können.

In der Zwischenzeit beauftragte der Käpt'n Mawkins mit meiner Ausbildung. »Der Käpt'n sagt, du sollst die Segel unterscheiden lernen. Siehste das ganz da oben? Das ist das Vorroyalsegel. Und die beiden da, ganz deutlich zu sehen, sind Vorober- und Vorunterbramsegel.« Den Rest des Tages schwirrten mir Fachausdrücke der Seefahrt um den Kopf: Außenklüver und Binnenklüver, Wanten und Gording. Um dem Käpt'n eine Freude zu machen, gab ich mir große Mühe alles auseinander zu halten.

Zwei Nächte später kamen wir an der Mündung eines breiten Flusses an. Jetzt bestand endgültig keinerlei Zweifel mehr, dass Käpt'n Stebbins ganz genau wusste, wo er nach seinem Schiff zu suchen hatte.

Früh am nächsten Morgen schrie Abigail aus dem Krähennest: »Hergehört! Hergehört! Ist es das? Ist das Ihr Schiff, Käpt'n?«, und zeigte genau voraus.

»Und ob es das ist!«, gab er erfreut zurück. »Vom Seegras und den Krebsen um Fahrt gebracht! Und da ist ja auch die *Blutige Hand*, nicht weit entfernt, gluckt wie eine Henne um ihr Küken. Mister Silvernail übernehmen Sie bitte das Steuer.«

Es war, als würde Käpt'n Stebbins eine riesige

Show auf dem Meer aufführen. Unser schwarzes Schiff schoss unter vollen Segeln direkt auf die *Lachende Meerjungfrau* zu. Als er sah, dass sein Schatzschiff von der Kaperung bedroht war, ließ Käpt'n Scratch die Piratenflagge auf der *Blutigen Hand* hissen, als ob allein dieser Anblick uns das Blut in den Adern stocken lassen und uns verscheuchen würde. Gleichzeitig kehrte er uns seinen Bug zu wie die Spitze einer Lanze.

Wenn er seinen Kurs beibehielt, würde er uns mit Sicherheit rammen. Aber Käpt'n Scratch änderte den Kurs nicht. Denn hinter uns kam, mit Segeln, die wie Pistolenschüsse peitschten, das Kriegsschiff den Fluss hinaufgefahren.

Käpt'n Stebbins ergriff sein Sprachrohr und lachte laut. »Eine kleine Überraschung für dich, Harry Scratch!«, rief er über das Wasser. »Ich will verdammt sein, wenn die Königliche Flotte dich nicht doch noch gefunden hat!«

Die *Blutige Hand* schoss den Fluss hinunter wie ein aufgescheuchter Wasservogel. Das Kriegsschiff wendete und nahm die Verfolgung auf. Seine Geschützluken öffneten sich wie Garagentore und Kanonen blitzten messingfarben im Sonnenlicht. Beide Schiffe waren um eine Biegung flussabwärts verschwunden, bevor wir das erste Donnern der Kanonen vernahmen.

Käpt'n Stebbins rief Abigail aus dem Krähennest herunter und schärfte uns ein, ihm ja nicht im Weg zu stehen, während wir die *Lachende Meerjungfrau* längsseits anliefen.

Er zückte sein Entermesser, ergriff ein Tau und schwang sich über Bord, gefolgt von Mister Silvernail und Mawkins, die ihre Messer zwischen die Zähne geklemmt hatten.

Lauter Jubel ertönte, als sie von Mister Dashaway, dem Ersten Maat, und von den anderen Männern der alten Besatzung begrüßt wurden. Drei Piraten aus Käpt'n Scratchs Gefolge zogen es vor, in den Fluss zu springen und dort Schwimmen zu lernen.

»Käpt'n Crackstone, du Hochstapler, wo bist du?«, rief Käpt'n Stebbins, während er über Deck stampfte. »Mister Galgenvogel, du bist ein Betrüger! Hast dir meinen Piratennamen geschnappt, was? Hochstapler, Schurke und niederträchtiger Mörder, Sir! Wo steckst du?«

Mister Galgenvogel befand sich nicht an Bord.

»Hatte sich auf die *Blutige Hand* abgesetzt, um mit Käpt'n Scratch zu verhandeln«, sagte der Erste Maat.

Mister Silvernail und Mawkins kehrten an Bord der *Seepfeil* zurück. Der Käpt'n winkte ihnen nach, als sie uns Proviant und frisches Wasser gebracht hatten. Mawkins zückte sein Messer und berührte mit der flachen Klinge seine Stirn. Es war wie ein Salut für seinen Kapitän. Vielleicht war er gar kein so übler Schurke, dachte ich, verglichen mit anderen Schurken und Piraten. Vielleicht hatte er lediglich eine Mütze Schlaf auf einer Federwolke gebraucht.

Jetzt übernahm Käpt'n Stebbins wieder das

Kommando über sein Schiff und weiter ging es den Fluss hinauf, fast bis Anbruch der Nacht.

»Wie ich sehe, Mister Dashaway«, sagte der Käpt'n, »ist es Ihnen gelungen, Käpt'n Scratch davon zu überzeugen, dass wir den Schatz bereits vergraben hatten.«

»Aye, Käpt'n. Und ich habe ihn auf das angebliche Versteck zugeführt, langsam wie eine Seeschnecke, wie Sie befohlen hatten, Sir. Ich schlage vor, Sir, dass wir jetzt irgendwo vor Anker gehen, den Rumpf reinigen und die Lecks abdichten.«

»Wir schöpfen es leer«, sagte der Käpt'n.

Jetzt, als ich die *Lachende Meerjungfrau* wieder unter meinen Füßen spürte, wandelte ich wie auf Wolken. Nur die Leiter runter, dann ein Hopser, ein Hüpfer bloß: der Sprung ins dreizehnte Stockwerk. Ich könnte rechtzeitig zum Abendessen zurück in San Diego sein!

Aber das musste warten, bis ich wieder in Boston und bei Liz war. Ich beschloss, einen passenden Moment abzuwarten und Käpt'n Stebbins die Wahrheit über uns und das zwanzigste Jahrhundert zu erzählen. Vielleicht würde er mir nicht glauben, aber möglicherweise würde er es begreifen, wenn wir plötzlich verschwanden.

Wir liefen in eine große Bucht ein, wo Häuser sich wie Krebse an die Küste klammerten. Der Käpt'n fand eine kleine, mit Gestrüpp überwachsene Insel, die ihm zusagte, nachdem er sie bei einem kurzen Landgang begutachtet hatte.

In dieser Nacht, als Abigail zu Bett gegangen war, rief er die alte Mannschaft in seine Kabine, wo alle sich unter gelbem Kerzenlicht versammelten. Falls er bemerkte, dass ich mich im Schatten herumdrückte, befahl er mir zumindest nicht Leine zu ziehen. Vielleicht waren Schiffsjungen so unwichtig, dass sie praktisch unsichtbar waren.

»Gentlemen«, sagte er, »wenn es um einen Schatz geht, kann ein Mann sich entweder weise oder unvernünftig verhalten. Früher oder später wird das Kriegsschiff wieder auftauchen, um nach uns und der Beute zu suchen. Lasst uns also weise handeln. Lasst uns jetzt tatsächlich den Schatz des Großmoguls vergraben.«

»Aber wo sind sie denn, diese geheimnisvollen Juwelen?«, fragte der Bootsmann. »Bis auf den Wind in den Segeln haben wir alles an Bord untersucht.«

Reihum nickten alle. Käpt'n Stebbins hob eine Hand. »Habt ihr auch die *Lachende Meerjungfrau* untersucht?«

»Unsere Galionsfigur?«, fragte der Segelmacher.

Der Käpt'n nickte. »Aye, die reizende Jungfer, die sich unter dem Bug versteckt hält, so dass man sie selbst vom Tauwerk aus nicht sehen kann. Habt ihr vergessen, dass sie da unten ist?«

Ein in Lumpen gekleideter Seemann brach in Gelächter aus. »Der Schatz vom Roten Meer war die ganze Zeit direkt unter unseren tollpatschigen Füßen?«

»So ist es«, sagte der Käpt'n. »Sie ist ausgehöhlt und wie eine Wurst gefüllt mit Diamanten, Rubinen und Perlen. Stimmt's, Mister Dashaway? Haben wir nicht, während die Männer in Madagaskar auf Landgang waren, die ganze Nacht hart gearbeitet?«

»Das haben wir, Sir.«

»Wir werden unsere hübsche Meerjungfrau hier, auf diesem Fliegendreck von Insel, vergraben«, verkündete der Käpt'n. »Nehmt die Galionsfigur vom Rumpf, Leute, und lasst ein Boot zu Wasser.«

Ich sah alles. Ich sah zu, wie die hölzerne Galionsfigur zur Insel gerudert wurde. Ich sah, wie die Schaufeln beim Graben Funken schlugen, die wie Glühwürmchen in der Dunkelheit davonstoben. Ich hörte das Flüstern. Ich sah, wie die Meerjungfrau vergraben wurde – mit großer Ehrfurcht, als sei sie eine Königin.

Ich sah es, aber ich konnte mein Glück kaum fassen.

Ich beobachtete Piraten beim Vergraben ihres Schatzes!

19. Kapitel

Die Schatzkarte

Tagelang schlugen wir uns nach Norden durch, fingen den Wind ein und verloren ihn wieder. Wir glitten so langsam über das Wasser, dass selbst Seevögel im Gleitflug uns überholten. Von dem Kriegsschiff keine Spur.

Der Käpt'n machte Abigail und mich auf Nantucket und Cape Cod aufmerksam. Je näher wir Boston kamen, umso aufgeregter wurde Abigail.

»Und du bist sicher, dass in deinem Buch nichts davon stand, dass Abigail Parsons mit einer Schlinge um den Hals endete?«, fragte sie.

»Ich weiß nicht mehr genau, was passieren wird, Abigail. Aber du wirst nicht hängen.«

»Nicht, wenn ich mich gleich wieder verstecke, oder? Und genau das werde ich tun.«

Sie half beim Ausschöpfen des Schiffes. Es war, als wollte sie sichergehen, dass da ein sicheres Schiff war, auf dem sie sich verstecken konnte. Alle halfen mit, selbst der Kapitän kippte einen Eimer Leckwasser nach dem anderen über die Reling.

Mehr als einmal, wenn ich unter Deck war, erwischte ich mich dabei, wie ich in die tiefe Dunkelheit starrte, hinter der das Heck lag.

Dort wartete der dreizehnte Stock auf mich. Wartete auf Boston, damit ich Liz bei der Hand nehmen und ihr den Weg zurück ins zwanzigste Jahrhundert zeigen konnte.

Mir blieb nicht mehr viel Zeit, um Käpt'n Stebbins die Wahrheit zu berichten. Als ich ihm sein Abendessen brachte, hantierte er gerade mit dem Sprachrohr. »Leg deinen Finger hier drauf, junger Stebbins«, sagte er.

Ich streckte einen Finger aus und er hämmerte zunächst eine, dann noch eine zweite Niete in das Sprachrohr. Es blieb mir nicht verborgen, dass er ein Stück hauchdünne Kupferfolie um den Schalltrichter gewickelt hatte. Ich konnte mir denken, warum.

»Das ist die Schatzkarte, oder, Sir? Sie haben Sie in das Kupfer geritzt«, bemerkte ich dreist.

»Allerdings ist sie das«, sagte er, ohne auch nur den geringsten Versuch zu unternehmen, sein Tun vor mir zu verheimlichen. Er schien einfach davon auszugehen, dass sein Schiffsjunge ihm gegenüber zu bedingungsloser Loyalität verpflichtet war. »Was geschieht, wenn ich falle, Junge?«

»Fallen, Sir?«

»Aye, von einer Leiter herunter. Was, wenn mir Ganoven an Land den Verstand aus dem Hirn prügeln? Und mein Erinnerungsvermögen gleich dazu, wie es Harry Scratch einst in Bristol ergangen ist? Dies also ist der Längengrad, auf dem unsere hölzerne Meerjungfrau sich befindet, und dies hier der Breitengrad. Sollte ich um den Verstand geprügelt werden, obliegt es dir, meinem Gedächtnis auf die Sprünge zu helfen.«

Er schob eine silberne Münze unter die Kupferfolie und versiegelte sie darin. Er schüttelte das Rohr und horchte zufrieden auf das Geräusch, das es von sich gab.

»Ein Sprachrohr sieht aus wie tausend andere«, erklärte er. »Dieses hier besitzt jetzt eine eigene Stimme. Es ist unverwechselbar.«

»Aye, Sir«, hörte ich mich überrascht sagen. Aye? Ich begann bereits das Englisch des siebzehnten Jahrhunderts zu benutzen wie selbstverständlich.

»Pass genau auf, was du im Hafen von Boston von dir gibst, junger Stebbins. Schatzkarten entzünden bei Schurken und Gaunern die wildesten Fantasien, weißt du.«

»Machen Sie sich um mich keine Gedanken, Sir«, sagte ich. »Sobald wir Boston erreicht haben, gehe ich nach Hause.«

»Und wo genau ist das, Junge?«, fragte Käpt'n Stebbins. »Du hast schon mal versucht es mir zu erklären, aber ich hab's nicht ganz zuordnen können.«

»Ich komme aus Kalifornien«, sagte ich.

»Natürlich«, sagte er mit einem kleinen Lachen. »Das liegt zwölf Meilen südlich von London, glaube ich. Oder war es jenseits der kantonesischen Hügel in China?«

»Meine Schwester Liz und ich kommen viele, viele Jahre aus der Zukunft«, beharrte ich. »Irgendwie sind wir rückwärts durch die Geschichte geflogen. Aber ich kann Ihnen das zwanzigste Jahrhundert zeigen, wenn Sie wollen.«

Ich hatte mich vorbereitet und das kleine Diktiergerät aus meinem Rucksack mitgebracht. »Sprechen Sie hier hinein, Sir. Es wird Ihre Stimme imitieren.«

»Es wird was?«

»Sagen Sie etwas. Schreien oder singen Sie. Irgendwas.«

Das ließ er sich nicht zweimal sagen. »Stehen geblieben!«, rief er laut. »Finger weg, schmutziges Gesindel! Zur Seite, Schurken, oder ihr bekommt die Klinge meines Entermessers zu spüren! Ich bin Käpt'n John Crackstone, und möge Gott der Barmherzige euren Seelen Gnade schenken!«

Ich spulte das Band zurück und ließ es ihn anhören.

Er wich einen Schritt zurück, als seine konservierte Stimme ertönte. Er hörte sich das Band noch zweimal an, dann blinzelte er mir verschwörerisch zu. »Hab mal einen Kerl in Jamaika gesehen, der seine Stimme aus einem Hühnchen erklingen lassen konnte«, sagte er. »Nicht schlecht, junger Stebbins. Ich hab nicht gesehen, wie deine Lippen sich bewegt haben. Nicht das kleinste Zucken.«

Ich gab es auf. Ich dachte kurz daran, ihm die Taschenlampe aus meinem Rucksack zu zeigen, aber ich wusste, dass es hoffnungslos war. Er würde sicher nach Glühwürmchen Ausschau halten.

20. Kapitel

Flucht

»Anker!«, rief Käpt'n Stebbins durch sein Sprachrohr. »Den Anker los!«

Mit lautem Kettengerassel plumpste der Anker in den Hafen von Boston. Das Schiff zerrte wie ein Hund an seiner Leine, etwa eine Viertelmeile von den Kais entfernt.

Ich beobachtete, wie das Beiboot eines Schiffes sich aus den Fischerkähnen löste, die vor dem Pier lagen. Seemänner ruderten zwei Passagiere zu uns herüber – eine Frau und einen Jungen etwa meines Alters, an dessen Mantel Messingknöpfe blitzten.

Der Käpt'n wackelte heftig mit den Armen und sie winkten zurück. Ich erkannte Mrs Stebbins. Während sie sich näherten, fiel mir ein, dass ich ein Bild gesehen hatte, das dem Jungen im Boot ähnelte. Konnte das Tobias Stebbins sein, der Sohn des Käpt'n, der für das Gemälde in der Kabine Modell gestanden hatte? Er muss es sein, dachte ich.

Aber wo war Liz?

Als die Leiter für Mrs Stebbins herabgelassen wurde, sah ich, wie Abigail sich versteckte. Sie fürchtete sich vor den Neuigkeiten, die sie an Land erwarten mochten.

Der Käpt'n hielt sich nicht mit der Frage auf, ob Sonntag war oder nicht. Er zog seine Frau in seine Arme. Und sie löste sich in Tränen auf.

»O John«, schluchzte sie. »Dass du lebst!«

»Natürlich lebe ich. Hallo, Tobias. Ich nehme an, du hattest eine gute Reise, mein Sohn.«

»Eine wunderbare Reise, Vater.«

In Mrs Stebbins Augen standen noch immer Tränen. »John, du bist gehängt worden!«

Der Käpt'n war verblüfft. »Was soll dieser Unsinn? Gehängt?«

»Vor drei Tagen ist ein Kriegsschiff in der Bucht vor Anker gegangen. Vor New York hatten sie einen Piraten aufgebracht, den sie sofort am Hauptmast aufgehängt haben.«

»Käpt'n Crackstone?«

»So sagte man«, schluchzte Mrs Stebbins.

»Galgenvogel«, sagte der Käpt'n leichthin. »Der arme Kerl hat wohl gehofft, als Käpt'n Crackstone dem Galgen ein zweites Mal entgehen zu können. Unter seinem eigenen Namen hatte dieser Halunke bereits alle neun Leben einer Katze verbraucht. Gut, dass wir diesen Gentleman los sind – dass wir sie beide los sind!«

Mein Gesicht glühte wie eine Kürbislaterne zu Halloween. In unserem Totenbuch zu Hause war ein Hochstapler eingetragen!

Ich konnte mich nicht mehr zurückhalten. »Was ist mit Abigail?«, fragte ich.

»Das Kind ist verschwunden«, sagte Mrs Stebbins.

»Haben die Geschworenen sie wegen Hexerei verurteilt?«

»Die Geschworenen sind endlich zur Vernunft gekommen und haben in ihr nicht mehr als ein zehnjähriges Mädchen gesehen.« Mrs Stebbins fuhr fort. »Aber das süße Ding ist vom Antlitz der Erde verschwunden.«

»Ich gebe ihr Bescheid«, sagte ich.

»Du meinst, sie ist hier an Bord? Sie hielt sich auf hoher See versteckt?«

»Ich hole sie.«

»Lass mich das machen«, sagte Tobias. »Sie wird überrascht sein, dass ich zurück bin.« Damit marschierte er in seinem Mantel mit den schimmernden Messingknöpfen stolz davon.

Inzwischen hatte der Käpt'n Mister Dashaway angewiesen an Land zu gehen und Pumpen zu besorgen. »Und bringen Sie ein paar neue Leute mit. Unsere Mannschaft hat fast den halben Atlantik ausgeschöpft.«

»Sir«, bat ich, »ich würde auch gern an Land gehen, um nach meiner Schwester zu suchen.«

Mrs Stebbins entfuhr ein leises Stöhnen. »Wir haben sie gerade eben besucht, mein Junge.«

Von plötzlicher Angst erfüllt fragte ich: »Ist sie krank?«

»Nein.« Mit zusammengepressten Lippen schüttelte Mrs Stebbins den Kopf. »Deine Schwester ist im Gefängnis eingesperrt.«

»Warum?«, stieß ich hervor.

»Sie ist der Hexerei angeklagt.«

Der Schreck verschlug mir die Sprache. Endlich krächzte ich: »Was soll sie denn getan haben?«

»Man sagt, sie habe die Ereignisse in Salem prophezeit.«

»Prophezeit?«

»Die Zukunft vorausgesagt. Bei Abigails Verhandlung behauptete sie, dass Bridget Bishop als Hexe am Ast einer Eiche enden würde. Gestern wurde Bridget Bishop am Ast einer Eiche aufgehängt.«

»Ich zeige denen mein Geschichtsbuch!«

Ich holte meinen Rucksack. Wir bestiegen alle das Beiboot – alle, bis auf Abigail und Tobias. Er hatte sie noch nicht finden können.

Als wir am Kai festmachten, wurde gerade Kabeljau von den Fischerbooten an Land geworfen. Wie fliegende Fische segelten die glitzernden Körper durch die Luft und türmten sich zu großen Haufen.

Durch den Lärm und das Gewimmel bahnte sich eine Prozession ihren Weg, angeführt von den Schnallenschuhen und dem langen, flatternden Mantel Richter Rattles.

Liz ging direkt hinter ihm, das Kinn trotzig erhoben, die Hände auf dem Rücken zusammengebunden. Ein Konstabler in zerlöcherten braunen Strümpfen schubste sie vor sich her.

»Buddy!«, rief sie, als sie mich zwischen den fliegenden Fische erblickte.

Ich stürzte nach vorn, an Richter Rattle vorbei. »Liz! Wollen die dich hängen?«

»Wenn es nach ihnen geht ...! Die haben

mich hergebracht, um die Wasserprobe zu machen.«

»Die was?«

»Die Wasserprobe für Hexen! Sie fesseln mich und werfen mich in die Bucht. Wenn ich ertrinke, beweist das, dass ich unschuldig bin. Wenn ich nicht untergehe, bin ich eine Hexe!«

»Das ist doch bescheuert!«, rief ich. »Wie sollst du da gewinnen? Wenn du nicht ertrinkst, wirst du aufgehängt!«

Richter Rattle griff in meinen Kragen, um mich zur Seite zu zerren wie einen lästigen Hund. »König James persönlich hat die Wasserprobe für gültig befunden! Aus dem Weg!«, befahl er.

»Aber schauen Sie, Sir«, rief ich, »Salem und die Hexenprozesse stehen in den Geschichtsbüchern. Daher wusste meine Schwester von Bridget Bishop! Hier steht, dass alle hier in der Gegend völlig durchgedreht sind. Sie hängen unschuldige Leute! Ich zeige Ihnen –«

»Buddy!«, rief Liz mit scharfer Stimme. »Halt die Klappe und lass das Buch zu! Sie werden dich als Hexenmeister aufhängen!«

»Welches Buch?«, fragte Richter Rattle und musterte mich mit einem Blick, als sei ich ein besonders seltener Schmetterling, der ihm noch in seiner Sammlung fehlte. »Zeig uns dieses Buch! Es klingt ganz danach, als müsse es verbrannt werden.«

Käpt'n Stebbins trat zwischen uns und bedeutete mir mit einer heimlichen Handbewegung, mich aus dem Staub zu machen. Just in diesem Moment drehten sich die Leute einer nach dem andern um und ausgestreckte Finger zeigten zur *Lachenden Meerjungfrau.*

Mit rudernden Armen gab Abigail aus dem Krähennest des Schiffes wilde Zeichen und schrie sich die Seele aus dem Leib.

»Hergehört! Hergehört!«, rief sie über das Wasser. »Wir sinken! Wir haben ein schreckliches Leck!«

Mir rutschte das Herz in die Kniekehlen. Der dreizehnte Stock! Gleich würde er auf dem Grund der Bucht von Boston ruhen!

Käpt'n Stebbins sprang in das Beiboot, um zu seinem Schiff zurückzurudern. Noch war Zeit für mich und Liz, ebenfalls ins Boot zu springen.

»Liz! Lauf!«

Der Konstabler umgriff den Strick, mit dem sie gefesselt war, etwas fester. Richter Rattle breitete die Arme aus wie eine Fledermaus, als wolle er seine Gefangene beschützen.

Ich preschte durch die Menge nach vorn. Ich weiß nicht, was Liz in dem Moment dachte, als ich vor ihren Augen verschwand. Aber ich wusste, was ich zu tun hatte. Ich wusste, wie ich mich in einen Hexenmeister verwandeln konnte.

Ich duckte mich hinter einem Berg aus totem Kabeljau und holte das Diktiergerät aus meinem Rucksack. Ich stellte es an und schob es dem größten Kabeljau in den Rachen, den ich finden konnte.

Als Richter Rattle und seine Männer näher rückten, ließ ich ihm den Fisch vor die Füße schlittern. Und er begann zu sprechen.

»Stehen geblieben!«, rief der Fisch. »Finger weg, schmutziges Gesindel!«

Richter Rattle taumelte einen Schritt zurück. Seine Augen waren weit aufgerissen. Ein sprechender Fisch?

»Zur Seite, Schurken«, fuhr der Kabeljau fort, »oder ihr bekommt die Klinge meines Entermessers zu spüren! Ich bin Käpt'n John Crackstone, und möge Gott der Barmherzige euren Seelen Gnade schenken!«

Das hier war wirklich Hexerei, die Stimme eines toten Mannes, die Richter Rattle und seinen Hexenjägern Hören und Sehen vergehen ließ. Sie stoben auseinander wie aufgeschreckte Krähen. Jetzt begann der Fisch, Spanisch zu sprechen.

»¡Es excelente! ¡Es estupendo! ¡Es magnífico!«

»Komm schon, Liz!« Ich griff nach dem Seil, das von ihren gefesselten Handgelenken herabhing. Wir kämpften uns bis ans Ende des Piers durch und riefen Käpt'n Stebbins nach, der mit dem Beiboot noch nicht weit gekommen war: »Warten Sie auf uns!«

Er winkte ab, für Schiffsjungen hatte er jetzt keine Zeit.

Ich befreite Liz' Handgelenke und rief ihr zu: »Los, spring! Wenn die *Lachende Meerjungfrau* untergeht, versinkt der dreizehnte Stock mit ihr!«

Wir sprangen ins Wasser und schwammen los. Gnädigerweise kam Mister Silvernail mit einem kleinen Boot angerudert und fischte uns aus dem Wasser.

21. Kapitel

Die Rückkehr des Seeteufels

Als wir bei der *Lachenden Meerjungfrau* ankamen, war Käpt'n Stebbins schon längst an Bord. Er musste entschieden haben, dass sein Schiff nicht zu retten war. Er stand auf dem Achterdeck, das kupferne Sprachrohr an den Lippen.

»Alle Mann von Bord!«, rief er. »Bringt euch in Sicherheit, Männer! In die Boote, Leute! Alle Mann von Bord!«

Während die ersten Männer uns entgegenkamen, die Leitern herabschwärmten und die Boote bestiegen, die aus dem Hafen zu Hilfe geeilt waren, versuchten Liz und ich die Leitern hinaufzuklettern.

Auf dem Hauptdeck angekommen, ergriff ich ihre Hand. »Komm mit. Und vertraue mir.«

Aber sie hatte Abigail entdeckt, machte sich von mir los und umarmte sie. »Du bist frei, Abigail!«

»Ich weiß. Tobias hat es mir erzählt. Ich schulde dir tausendfachen Dank.« Sie lächelte mir zu. »Dir danke ich auch, Buddy.«

»Nicht der Rede wert. Liz«, sagte ich hastig, »das Schiff wird gleich sinken.«

Ich zog sie fort. Vor einer der hinteren Luken blieb ich stehen, um Käpt'n Stebbins zu salutieren, ähnlich wie Mawkins es getan hatte. Er stand auf dem Achterdeck und sah mich scharf an. »Warum bist du hierher gekommen?«

»Nur um Lebwohl zu sagen, Sir«, antwortete ich und plötzlich spürte ich einen Klumpen in der Kehle. Ich wusste, dass ich Käpt'n Stebbins nie wieder sehen würde.

»Tobias«, rief er. »Sieh zu, dass Abigail sicher in einem der Boote unterkommt.«

»Aye, Vater.«

»Junger Stebbins!«, brüllte der Käpt'n. »Das war ein Befehl! Der Rumpf ist zerborsten. Alle Mann von Bord!«

Ich wartete, bis er uns den Rücken zukehrte. »Auf Wiedersehen, Sir«, sagte ich. Dann zog ich Liz durch die Luke und die Leiter hinunter.

Ich konnte das Leck schon blubbern hören, und als wir die nächste Leiter nach unten nahmen, wurde es um uns herum dunkel. Ich kramte nach meiner Taschenlampe. Sie war zwar nass geworden, funktionierte aber noch. Schwarzes Wasser strömte in die Bilge. Und aus dem Wasser am Fuß der Leiter erhob sich der filzhaarige Segelmacher, seine Seemannskiste auf einer Schulter. Er wurde fuchsteufelswild, als er mich erkannte.

»Wusst ich's doch, dass du 'n Seeteufel bist, der uns Pech bringt!«, brüllte er. »Aye, sieh dich nur an, mit dem Geisterlicht, das aus deinen Fingern kommt! Zurück, mir aus dem Weg!«

»Zur Seite!«, schrie ich.

Er zückte sein Messer. »Ein Unglück bringender Jona, das biste!«

Ich schob mir die Taschenlampe bis zum Anschlag in den Mund und fletschte die Zähne. Es war wie Halloween. Ich muss ausgesehen haben wie ein Vampir, der sich zum Biss bereitmachte.

Mit vor Entsetzen weit aufgerissenen Augen wich der Segelmacher vor uns zurück. »Gott sei meiner armen Seele gnädig!«, schrie er.

Ich drückte mich an ihm vorbei die Leiter hinab. Liz folgte mir. Ich nahm ihre Hand und gemeinsam wateten wir auf den rückwärtigen Teil der Bilge zu. Der Segelmacher rumpelte die Leiter hinauf. Er hatte uns kostbare Sekunden gekostet.

Das Wasser stand mir schon bis fast zu den Schultern. Ich ließ das Licht auf der Suche nach dem dreizehnten Stock über die Wände geistern. Das Schiff dröhnte und ächzte, als es auseinander zu brechen begann. Verstrebungen knickten ein wie Streichhölzer, links und rechts von uns stürzten Planken herab.

Ich drückte einen auf dem Wasser treibenden Holzbalken beiseite und ertastete den oberen Rand eines Türrahmens. Mein Herz sprang mir in den Hals. »Hier ist er, Liz!«, rief ich. »Der dreizehnte Stock!«

Aber die Tür hatte keinen Griff.

»Liz! Wir müssen sie irgendwie aufdrücken!«

Ich schob meine Finger zwischen die obere Türkante und den Rahmen und zog. Liz tat es mir gleich. Wir zogen und zogen. Tonnen von Seewasser drückten dagegen. Der dreizehnte Stock war verklemmt! Ich merkte, wie die Türplanken sich unter der Belastung des berstenden Rumpfes zu verziehen begannen.

Wir zogen noch einmal. Aber der Kraft der See hatten wir nichts entgegenzusetzen.

Innerhalb der nächsten Sekunden würde das Schiff sinken, dachte ich. Liz griff nach meiner Hand. Sie musste dasselbe gedacht haben. Das Wasser umspülte schon unsere Hälse.

Plötzlich brach das Wasser durch die Tür herein und wir wurden mitgerissen.

Kopfüber wurden wir herumgewirbelt. Es gab einen Moment heulender Finsternis, gefolgt von tiefer Stille. Nass wie die Fische und aus allen Poren triefend, fanden wir uns im dreizehnten Stock wieder. Mein Herz klopfte wie wahnsinnig. Wir waren so gut wie zu Hause.

»Was machen wir jetzt?«, fragte Liz.

»Ich hole den Fahrstuhl«, sagte ich und drückte auf den Knopf.

22. Kapitel

Der Schatz

Durch den Zeitunterschied von drei Stunden zwischen West- und Ostküste war es in San Diego immer noch früh morgens. Der Rasen musste gemäht werden, der Briefkasten quoll über von Werbung, doch unser Zuhause war mir noch nie so schön vorgekommen. Es stand genau dort, wo wir es zurückgelassen hatten, auf dem Hügel, der die Bucht überblickte, wo es uns erwartete wie ein etwas heruntergekommener alter Freund.

Ich beobachtete ein Passagierflugzeug, das in geringer Höhe zum Landeanflug auf Lindbergh Field ansetzte. Ein grauer Zerstörer der Navy trieb dem offenen Meer entgegen und in der Nachbarschaft tönte ein laufender Fernseher. Ich musste mich nicht zwicken. Ich befand mich im zwanzigsten Jahrhundert.

Liz öffnete die Fenster, um frischen Wind durch das Haus wehen zu lassen. Sie hörte den Anrufbeantworter ab, während ich nach meinem Zimmer sah, nur um sicherzugehen, dass es noch vorhanden war. Mein Spanischbuch war ein triefnasser Matschklumpen. Ich würde die Klassenarbeit nachholen müssen.

Ich marschierte rüber in Dads Zimmer und

holte das zerbeulte alte Sprachrohr vom Regal.

Als ich ins Erdgeschoss kam, hatte Liz den Fernseher angestellt, um die letzten Nachrichten zu hören. »Hast du das mitgekriegt, Buddy?«

»Was?«

»Irgendwelche Knallköpfe haben draußen in der Wüste einen Stapel grüner Bücher aus der Bibliothek verbrannt.«

»Grün?«

»Sie halten grün für die Lieblingsfarbe des Teufels.«

Normalerweise hätte ich darüber gelacht und die Angelegenheit mit einem Achselzucken abgetan. Aber jetzt war es ein Gefühl, als wäre Richter Rattle uns durch den dreizehnten Stock gefolgt und geisterte jetzt frei durch das zwanzigste Jahrhundert.

»Keine wichtigen Anrufe?«, fragte ich.

»Die Schule wollte wissen, wo du steckst. Ich geb dir eine Entschuldigung mit.«

»Was willst du ihnen schreiben?«

»Ich lass mir was einfallen.« Nach einer Weile sagte sie: »Buddy, wir haben ein sehr gutes Angebot für das Haus erhalten.«

Ich hob das Sprachrohr in die Luft und schüttelte es. »Aber wir haben die Schatzkarte von Käpt'n Stebbins! Was ist, wenn nie jemand zurückgekehrt ist, um den Schatz vom Roten Meer zu bergen? Dann gehört er uns! Dann müssen wir das Haus nicht verkaufen!«

Doch noch während ich das sagte, wusste ich,

dass etwas nicht stimmte. Ich hatte das Sprachrohr geschüttelt, aber wo blieb das Geräusch, das Geklimper von Käpt'n Stebbins Münze? War dies nicht dasselbe Sprachrohr?

»Aber sieh doch mal, Schwesterherz«, sagte ich. »Ich war dabei, als er die Nieten reingeschlagen hat. Und hier sind die Nieten. Es *muss* dasselbe Sprachrohr sein.«

Ich holte den Seitenschneider meines Dads und ruinierte ihn fast, als ich damit die Nieten kappte. Eine dünne, zusammengerollte Kupferfolie löste sich von der Hülle des Sprachrohrs und eine angelaufene Münze kullerte über den Teppich.

Ich grinste triumphierend. »Die Münze hat nur festgesteckt!«

»Nach dreihundert Jahren darf sie das auch.«

Als Liz jetzt die Schatzkarte mit eigenen Augen sah, begann sie die daraus erwachsenden Möglichkeiten etwas ernsthafter abzuwägen. »Du warst dabei, als sie die Beute vergraben haben, Buddy? Wirklich dabei?«

»Wirklich dabei!«

»Die Karte sieht nicht aus, als wäre sie jemals entrollt worden.« Sie fuhr mit dem Finger über das Kupfer. »Ist das ein Fluss?«

»Klar. Und in dieser Bucht dort sind wir rausgekommen. Und hier ist die kleine Insel. Auf der ist die Galionsfigur begraben.«

»Wofür hältst du diese Zahlen? Sie sind sehr deutlich eingraviert.«

Ich betrachtete die Zeichenfolgen.

Lat 40° 41'
Long 074° West 4'

»Das ist einfach«, sagte ich. »Das müssen der Längen- und der Breitengrad sein. Die kleinen Kringel bedeuten Grad, die Apostrophe Bogenminuten. Hast du nie Erdkunde gehabt?«

Liz stand auf, ging zum Telefon und griff nach dem Telefonbuch. Wenig später tippte sie eine Nummer.

»Wen rufst du an?«, fragte ich. »Die Fluggesellschaften? Wir könnten noch heute Nacht zurück an die Ostküste fliegen!«

»Hallo, Küstenwache?«, sagte sie in den Hörer. »Könnten Sie mir bitte sagen, wo der einundvierzigste Längengrad, einundvierzig Minuten, den vierundsiebzigsten Breitengrad, vier Minuten West, schneidet?«

»Liz!« Ich schrie beinahe. »Das ist ein Geheimnis! Willst du, dass alle Leute wissen, wo sie buddeln müssen?«

»Hab ich irgendetwas von einem Schatz erwähnt? Vielleicht suchen wir ja auch nur nach einem netten Ferienort.«

»Klar«, stöhnte ich.

Es dauerte eine Weile, bis die Küstenwache sich wieder meldete. Liz hielt einen Bleistift bereit, aber sie benutzte ihn nicht.

»Hat die Insel keinen Namen?«

»Und ob sie einen Namen hat«, sagte sie, nachdem sie aufgelegt hatte.

»Na, dann spuck ihn schon aus«, sagte ich.

»Du hast schon von Bedloe's Island gehört, oder?«

»Bedloe's Island«, sagte ich.

»Na, klingelt da nicht was?«

»Nicht besonders laut«, sagte ich. »Versuch's noch mal.«

»Wie wäre es mit der Freiheitsstatue?«

»Was ist damit?«

»Die steht auf Bedloe's Island. Direkt auf dem Schatz.«

Ich hatte das Gefühl, unter einer tonnenschweren Ladung Steine begraben worden zu sein. Eine Tonne? Es würde mich nicht wundern, wenn die Freiheitsstatue zehn Milliarden Tonnen wog. Falls Käpt'n Stebbins ihn sich nicht irgendwann geholt hatte, war der Schatz vom Roten Meer damit für immer begraben. Vielleicht noch länger.

Die Münze, die Käpt'n Stebbins als Klingelzeichen benutzt hatte, mochte vor dreihundert Jahren alltäglich gewesen sein, aber wie sich herausstellte, war es eine neuenglische Dreipenny-Münze. Die Dinger waren unglaublich selten. Soweit bekannt war, gab es weltweit nur noch zwei davon. Also bekamen wir mordsmäßig Geld dafür, mit dem wir die Schulden bezahlen und das Haus unserer Familie halten konnten.

Käpt'n Stebbins hatte uns also doch noch einen großen Gefallen getan. Ich denke oft an ihn und ich habe das Totenbuch unserer Familie korrigiert, denn schließlich ist er nicht am Galgen gelandet. Erst als ich auf den Eintrag seines Sohnes Tobias stieß, erfuhr ich, was aus Abigail geworden war. Sie hatte Tobias 1699 geheiratet! Der Ehe waren jede Menge wunderbare Kinder und großartige Nachfahren entsprungen. Liz und ich zum Beispiel.

Als Liz mir die Entschuldigung für die Schule schrieb, gab sie als Grund für mein Fehlen an: *Besuch bei Verwandten.*

Nicht alles in der vorliegenden Geschichte ist meiner Fantasie entsprungen. Einiges davon entspricht der aberwitzigen Wahrheit.

Als die Großmutter meiner Frau starb, fiel uns eine alte Familienchronik in die Hände. Darin entdeckten wir, dass eine aus Massachusetts stammende Vorfahrin meiner Frau im späten siebzehnten Jahrhundert der Hexerei angeklagt worden war.

Das faszinierte mich. Da in meinen Büchern aber sonst eher die Komik überwiegt, war ich nicht sicher, ob ich aus diesem Material etwas machen konnte. Ich bezweifelte, dass es im frühen Neuengland etwas zu lachen gegeben hatte.

Falsch gedacht. Ich stolperte über den Kapitän eines Schiffes, der nach vielen Jahren auf hoher See heimkehrte und prompt dafür eingesperrt wurde, dass er seine Frau an einem Sonntag küsste. Das war gegen das Gesetz, genauso wie es Kindern nicht erlaubt war, sonntags zu laufen, zu springen und herumzutoben.

In Amerika fiel das Zeitalter der Hexerei mit der großen Zeit der Freibeuter zusammen und ich fand heraus, dass die Männer Neuenglands bis zur Halskrause in Piraterie gesteckt hatten. So wie in diesem Buch.

Was die Anklagen wegen Hexerei betrifft, so musste ich feststellen, dass die Absurdität leider keine Grenzen kannte. Ein Mann führte als Beweis an, seine Füße seien in Gegenwart eines der Hexerei bezichtigten Dorfbewohners plötzlich heiß geworden. Eine Frau sagte unter Eid aus, sie habe beobachtet, wie ihre Nachbarin sich in einen Bären verwandelte. Ein Mann behauptete, die Sporen seiner Stiefel seien ihm »mit einem Klingeln durch den Wald gefolgt«. Zeugen beschworen vor Gericht, sie hätten Frauen aus dem Dorf auf Besen durch die Luft reiten sehen.

Mehr als alles andere ist erstaunlich, dass solche Anschuldigungen von den Gerichten überhaupt ernst genommen wurde. Bei den berüchtigten Hexenprozessen in Salem, Massachusetts, wurden etwa zwei Dutzend Menschen in den Tod geschickt. Das war der ernüchternde Höhepunkt eines albtraumhaften Jahrhunderts wahnwitziger Hexenjagd. Gegen Ende dieser schrecklichen Epoche wurden selbst streunende Hunde der Hexerei bezichtigt!

Es war ein Jahrhundert, das mit seinen Frauen nicht freundlich umging. Sie waren die bevorzugten Opfer. In England und ganz Europa wurden Tausende frommer und gottesfürchtiger Frauen, jung wie alt, erhängt oder, wie verbotene Bücher, in aller Öffentlichkeit verbrannt. Auch Männer verschwanden in diesen Wirren.

Und Kinder? Unwissenheit und Aberglaube sind wahllos.

Auch Kinder verschwanden.